JN040782

偉い人ほどすぐ逃げる

武田砂鉄

文藝春秋

偉い人ほどすぐ逃げる　目次

はじめに　008

第1章 偉い人が逃げる
忘れてもらうための政治

第2章

人間が潰される

やったもん勝ち社会

第3章

五輪を止める

優先され続けた祭典

第4章 劣化する言葉

「分断」に逃げる前に

第5章 メディアの無責任

まだ偉いと思っている

偉い人ほどすぐ逃げる

はじめに

毎朝、眠い目をこすりながら、ポストに刺さっている数紙の新聞を引っこ抜く。新聞を広げ、テレビをつけて、「さて、どんなもんかね」と読み、見る。いつも同じことが起きている。偉い人が、疑われているか、釈明しているか、逆にあなたたちはどうなんですかと反撃しているか、隠していたものが遂にバレたか、それはもう終わったことですからと開き直っているか、だ。

国家を揺るがす問題であっても、また別の問題が浮上してくれば、その前の問題がそのまま放置され、忘れ去られるようになった。どんな悪事にも、いつまでやってんの、という声が必ず向かう。向かう先が、悪事を働いた権力者ではなく、なぜか、追及する側なのだ。万引きが多発するスーパーマーケットで、万引きGメンに「いつまでやってんの」と言う客がいるだろうか。無賃乗車が横行する駅の改札で、警戒する駅員に「いつまでやってんの」と言う乗客がいるだろうか。

わざわざ重言で記すが、疑惑を疑う、という当たり前の行為が、やたらと過激な行為として受け取られ、そういった言葉を向ける様子に、よくぞ言った、勇気があるよね、なんて評定が下される。でしょ、ホント、よく言ってるでしょ、少しは見習ってよなんて、ちっとも思わない。これっておかしいのではないか、という問いを投げかける資格や期限なんてない。誰でも問える。いつでも問える。

一九七一年に出た竹中労の著作に『エライ人を斬る』(三一書房)がある。どういう本かといえば、エライ人を斬る、という、そのまんまの本だ。単純明快。刊行から、もう五〇年が経過するが、この視線が目減りしている。目減りして得をするのは、楽になるのは、今も昔も、変わらずエライ人である。

本書は、二〇一六年から雑誌『文學界』で連載している時事コラム「時事殺し」から選び抜いて一冊にまとめたものである。掲載順に並べるのではなく、カテゴリー分けを試みたが、その作業中に、この五年間にわたって自分は一体何を書いてきたのかと考えたら、浮上してきたのが、「偉い人ほどすぐ逃げる」だった。

文中の肩書きは雑誌掲載当時のままにしてあるので、今、首相をやっている人が官房長官だったりするが、起きていることはまるで変わらない。正面から異議申し立てする原稿よりも、逃げる後ろ姿を追いかけるような原稿が目立つ。政治の話題だけではなく、題材は多岐にわたる。いずれも、斬ろうとする前に、逃げてしまうのだ。本書を読んで、逃げ足の速さをいくつも思い出して欲しい。

ブックデザイン　鈴木成一デザイン室
DTP　エヴリ・シンク

第1章

偉い人が逃げる

忘れてもらうための政治

嘘をついたことのない人間はいない。だからこそ、みんな、嘘をつき続けるしんどさを知っている。もっと早く、実は嘘でした、って言っておけばよかったのに、もう今さら言えないという状態って、なかなかつらい。逃げ回っていた犯罪者が捕まり、その第一声が「捕まって安心した」だったという事案をよく聞く。まだ捕まった経験を持たないが、その声に納得できてしまうのは、自分のついた嘘が頭の中に残っているからだと思う。部下のせいにする、秘書のせいにする、メディアのせいにする、あれこれのせいにしながら政治家の皆さんが嘘をつきまくっている。政治家とは清濁あわせのむ仕事らしいが、「濁」ばかりを生み出し、その「濁」を自分以外の誰かに押し付けることで、無理やり自分の「清」を作り出す。その一連の流れがバレているのに、私は潔白です、悪いのは私以外です、と吐き捨てる人が、国の真ん中で大きな力を持ち続けていたりする。主な仕事が隠蔽・改竄・忘却・密約ではないかと疑われる人たちの逃げ足がとにかく速い。

満員電車ゼロ、その前に。

二〇一六年、東京都知事選で惨敗した鳥越俊太郎が敗戦の弁を語るインタビューで「ペンの力って今、ダメじゃん。全然ダメじゃん。力ないじゃん」「僕はペンの力なんか全然信用していません。だから、選挙の中で訴えるという一つの手がある」（ハフポスト・二〇一六年八月一一日）と述べているのを見かけて、やり場のない怒りを覚えたものだが、意を決して「ご自身のペンの力が全然ダメなだけでは」と口に出せば怒りはたちまち鎮まったし、このところの著作が概ね「聞き書き」で構成されている「僕」に対して、そもそも「ペンの力」を問う資格をお持ちなのでしょうか、と問い質してみると、どう考えてもこちらの問いかけが正しくなり、日頃さほど感じることなどない、自分自身のペンの力を確認することもできたので、むしろ感謝申し上げたいほどであった。「ペン」をさほど使わないジャーナリストが「ペンの力って今、ダメじゃん」と言ってのける傲慢さ。私は「僕」とは違い、今も昔もペンの力を信用している。

自民党を離党すらしていないのに「孤軍奮闘している女性」のプレゼンが巧妙だった小池百合子が圧勝した都知事選だが、鳥越が「待機児童ゼロ」「待機高齢者ゼロ」「原発ゼロ」と、切実だがありきたりの「ゼロ」を繰り返し、地方議会選挙でほとんどの野党候補者がポスターに掲げるような内容となっていたのに対し、小池は「ゼロ」をとにかく乱れ打ちし、「満員電車ゼロ」という、東京の有権者の多くがひとまず耳を貸さざるを得ない斬新な宣言まで演説の中に盛り込んだ。

記者会見で小池は、「満員電車もゼロにしたいと思います。東京の満員電車は、みなさん当たり前だと思っていますけれども、しかしこの満員電車は、時差通勤であるとか、二階建ての電車にするとか、もっと知恵をしぼるべき」だと述べた。討論番組などではこのキャッチーな公約に質問が集中したが、小池は「できないと決めつけてはいけません。そういう本も出ているんです」といくつかの場面で繰り返した。今や、どんな内容の本でも出ているが、ひとまず、思い込みではなく既出の本を基準にする姿勢は歓迎できる。では、その本とは何か。小池がオビに推薦文を寄せている阿部等『満員電車がなくなる日』(角川SCC新書)である。刊行は二〇〇八年だが、阿部は今回の小池都知事の公約化を受けた上で、いくつかの方策を新たに提言している。そのひとつが「青信号と同時の出発」。現状、都内の列車の多くが、青信号が点灯してから二五秒ほど経ってから出発しているが、この時間が生じるのは「青信号が出てから車掌が発車ベルを鳴らし、ドアを閉め、それから出発するからです。だったら青信号になる25秒前に発車ベルを鳴らせば、青信号と同時に出発できます」(東洋経済オンライン・二〇一六年八月六日)と言う。

それをしてこなかった理由について、「今までの事故の経験で、誤出発を防ぐために青信号が点灯してから発車ベルを鳴らすルールになっています。青信号になる前にドアを閉めると、つられて運転士が出発してしまうかもしれないリスクをなくすためです。でも近年は、安全装置が導入されていて、運転士が誤出発しても列車はすぐに停まります」とし、「鉄道業界は事故を恐れ、新しいチャレンジを嫌がります」とも、「鉄道は工夫により効率を上げられることに気づき、安全一辺倒だけでなく効率向上も求める世論が醸成されることが重要です」（傍点引用者）とも言う。一読して思う。めちゃくちゃ危ないだろ。安全だけではなく効率も、と天秤にかけるものを誤っている。効率によって安全が揺さぶられるならば、そんな効率を受け入れてはいけない。乗客として「もっと効率よくできないのか」と感じている人は少ないだろう。私など、「いいよ、もっと効率悪くゆっくりで」とさえ思う。

小池が当選し、「満員電車ゼロ」の公約が本当に可能なのかどうか方々で問われていた八月上旬、東京メトロは駅の停車時間を延長する方針を明らかにした。完全に、効率向上を画策する小池（および阿部）の考えの逆を行く施策だ。四月、半蔵門線の九段下駅で、ベビーカーを挟んだまま列車が発車してしまい、ベビーカーが破損する事故が起きた。幸いにも負傷者は出なかったものの、子供を乗せたまま発車していた可能性を考えてみれば恐ろしい。約一〇〇メートル進行した辺りで、車掌が車内非常通報ブザーの鳴動を確認したものの、出発監視中のためトンネル内に進出してから対応しようと、出発監視を続けてしまった。

東京メトロの資料には、車掌は「本列車の停止手配を行うべきところ、躊躇してこれを行わなかった」とある。そのまま乗務を終え所属事務室に戻り、初めてベビーカーを挟んだまま発車したことを知ったという。この車掌は、単独乗務わずか一九日目の二級車掌。経験が浅く、定刻発車へのプレッシャーが極めて強かった。この事件を受け、東京メトロは最短一五秒だった停車時間を「ホームドアのない駅のある5路線の全駅で25秒以上に」することとし（朝日新聞・二〇一六年八月五日夕刊）、車掌の確認時間を十分に確保、これにより、所要時間が若干延びるという。

日本の鉄道は、諸外国と比べても異様なまでに定刻発車を守る。三戸祐子『定刻発車』（新潮文庫）の文庫版あとがきにある二〇〇三年度のＪＲ東日本の数値を拾うと、一列車あたりの遅れは新幹線で平均〇・三分、在来線で〇・八分。三戸はフランスの超高速列車ＴＧＶ南東線が九〇％を超える定時運転率を掲げていることに驚いたものの、そもそもその指標が「一四分以上遅れなかった列車の割合」であったと気付いて再度驚く。定時の概念が違う。秒単位で「定時」を設けているのは日本くらいのものなのだ。

川辺謙一『東京総合指令室』（交通新聞社新書）を開けば、ラッシュ時の中央線が新宿駅近くで五分も止まれば約六〇〇〇人の輸送力のロスとなるとある。時折、不通となった列車のホームに乗客が溢れているニュース映像などを見ると、「少しくらい、喫茶店で休んでりゃいいのに」なんて思ってしまうが、実際のところ、あれは喫茶店で休むとしよう、と判断する間も無く、数分止まっただけで出来上がってしまう光景なのである。玄関開けたら二分でご飯、というＣＭがあったが、電車止まったら二分で罵詈雑言、という環境のなかで、新米車掌は当然、定刻の遵守を何より優先する。二〇〇五年に起きたＪＲ福知山線脱線事故も、秒単位での定時運行を求められた運転手が、遅れた時間の回復を急いだことが原因ではないかと言われた。松本創『軌道』（東洋経済新報社）に詳しいが、ミスをした乗務員には、日勤教育という名の懲罰が行われ、反省文を繰り返し書かされ、聞き取り調査では何度も怒鳴られ、トイレに行くにも上司の許可が必要なほどだった。とにかくミスをするな、その風土が運転手の精神を追いつめ、麻痺させた。小池が提唱する二階建ての電車で現行のダイヤを維持すれば、ホームに人は溢れ返るし、阿部が提唱する本数の増加は、数秒のずれによって大事故が生じかねない。

「予定時刻より二分遅れての到着となります。お急ぎのところ皆様にご迷惑をおかけし……」と車掌からの謝罪の言葉が車内に響く。それくらいで謝らなくたっていいのに、と思う。でも小池らはこれをもっと狭めよ、と求めてきた。どうやって具体化するのですか、小池さん。ええ、本を出している人もいるんです。こんなやり取りでは当然広がっていかない。

国土交通省・交通政策審議会が発表した「東京圏における今後の都市鉄道のあり方について」の資料を見ると、こんな提唱がある。「遅延対策について、鉄道事業者に対して更なる改善の取組を求めるとともに、鉄道利用者に対しても理解と協力を求めていくためには、まず遅延に関する適切な指標を設定し、遅延の現状と改善の状況を分かりやすく『見える化』することが特に重要」である。おいおい、遅れすぎだよ、もっとなんとかしろよ、と思っているらしい。そして、「遅延のうち日々の小規模な遅延については、混雑やドア挟み、線路への落とし物等に起因するものであり、これらは鉄道利用者の行動によって改善できる余地は大きく、鉄道利用者との協働が重要」（傍点引用者）とある。

要するに、これらの施策は、私たち鉄道利用者の改善が不可欠とされているのだ。利用者はもっと改善せよ。となれば、たとえば、ベビーカーを押す人などに対して、「こっちはこれだけ対応しているのだから、あとはそっちでもうちょっとお願いしますね」という空気が生まれかねない。能面のような表情の乗客からプレッシャーを受け、時には舌打ちされ、露骨に「畳んでください」と言われることすらあると聞くのに、こっちはできることやったんで、あとはそっちで迅速にやってくださいね、と促してくる。「ベビーカーで乗り込もうとする誰かがいたら、彼ら・彼女らに少しでも心地良い環境をつくり出しましょう」という意識を高めていくべきなのだが、もうちょっと時間延ばすんで、あとはよろしく、がんばって、でいいのだろうか。

小池都知事はまだ電車を増やせると意気込んでいた。鉄道会社はとりあえず秒数を確保してみますので、これで乗ってくださいと言った。国交省は利用者がもっとがんばらないと、と言っていた。基本的な方向性が「それぞれが努力すれば、まだまだなんとかなるぜ」なのだ。こういう根性こそが重大事故を引き起こしてきたわけだが、改善策も引き続き「気合が足りない」方向なのだ。「ペンの力って今、ダメじゃん」に付き合わずに、この手の人気取りのための適当な思惑を見逃さないためにペンを用いたい。

「朝日新聞テヘラン支局長『またおなかが痛くなっちゃうのでは』安倍晋三首相をツイッターで中傷」との記事が産経ニュース（二〇一七年二月一一日）に出ていた。朝日新聞の神田大介テヘラン支局長が、安倍首相とトランプ大統領の首脳会談を報じる映像を引用しながら、「安倍首相、大丈夫かな…またおなか痛くなっちゃうのでは」とツイートした。かつて安倍首相が潰瘍性大腸炎を患い、政権を放り出したことを指しており、とても安手の皮肉だ。別荘に招かれ、ゴルフ場でハイタッチ、これは外交として大成功ですね、などといった色めき立つ報道が続いていたから、安手の批判の狙いは見えるものの、当該の病に苦しむ人たち、そしてもちろん安倍首相への配慮が欠けていた。

神田記者はツイートを削除し、「安倍首相をはじめ、病気を揶揄するつもりはなかったんですが、そのように受け取られて当然のひどいツイートでした。お詫びし、撤回します。申し訳ありませんでした」と謝罪に追い込まれた。「完璧に嫌味、嫌がらせ、朝鮮人テイスト満載じゃないか（笑）」「一面に謝罪記事のせろ」（リツイートコメントより抜粋）などの罵声にひるんだのか、神田記者は謝罪を連投する。

「たくさんのご指摘をいただきました。自分の考えの至らなさ、まったくお恥ずかしい限りです。以後、このようなことがないよう注意いたします。重ねて安倍首相をはじめ、みなさまにお詫びします」「これは本当に、トランプ氏の登場による首相への重圧を心配してツイートしたんですが、そのように伝わらなくて当然だったと思います」と、どこまでも謝り倒してみせた。

潔く謝って終わればよいものを、安倍首相への重圧を心配していた、とそれっぽい言い訳を加えてしまう。そもそも、国を動かす政治家に対して、メディアの記者が公然と「重圧を心配しています」と告げる行為に躊躇いが無いことに驚くのだが、神田記者は最終的に、自分は単なる「アンチ安倍」ではなく、「私の安倍首相に対するスタンスは、たとえば以下の通りです」とし、過去のツイートから「各国の政治に対するアンテナが高くなると、相対的に安倍首相や日本政府のまともさというのが見えてきます。私は主な政策で安倍さんとはまったく意見があいませんし、もちろん物足りなさも感じますが、いや名宰相だと思いますよ」を引用し直している。燃えてしまったので鎮火、その後で油を注ぐ。

そして、怒らせちゃったから、ゴマをする。でも自分の意見表明も忘れない。自身の失言をフォローするためにツイートを掘り起こし、「おべんちゃら」に励む。朝日と産経、分かり合えない媒体同士の小競り合いは続くが、譲り合うよりは建設的である。そんな中で、朝日・産経双方に共通した、時の為政者に対する野次はあってはならない、という結束が解せない。右だ左だでは揉めるくせに、それはちょっと言い過ぎだろ、と上下の関係が争点になると、頷き合ってしまう。この程度の事案が「捏造朝日!」との声を再び活性化させていく。記者たるものが、謝罪に謝罪を塗りたくり、「自分は名宰相だと思っている」と、土下座するかのように謝り倒した。へりくだれば共闘(というか談合)できる、と信じ込んでいるのだろうか。この譲り方は政治を運営する人たちにとってはなかなかありがたいへっぴり腰だ。

現時点(二〇一七年二月二一日)では三月七日に閣議決定する方針と伝えられているのが共謀

罪だが、国民の懸念が噴出した途端に、公明党がひとまず政府に懸念を表明してみるという、このところの常套手段で軽めの時間稼ぎをした後、当初対象とされていた六七六の犯罪を二七七に絞り込み、世論が燃えさかるのを強引に無理やり抑え込んだ。

えっと、じゃあ、四〇〇減らしますね、これでどうっすか、と迫るポップな姿勢は、この法律がどんなに強引でもゴールを目指すことだけしか考えられていないと教えてくれる。当初は「一般の方々が対象となることはありえない」（一月一六日・菅官房長官）としていた見解がいつのまにか「そもそもの目的が正常の目的だったとしても、その段階で（犯罪目的に）一変をしている以上、組織的犯罪集団と認めるのは当然」（二月一七日・安倍首相）と上書きされた。ここに、これがないと東京オリンピックも開催できないんですから、といった、思いつきのアピールまで加わった。

これらは、「共謀罪」と「テロ等準備罪」は別物である、とPRするために練られた言い訳だった。「共謀罪」は危ないけど「テロ等準備罪」はそうでもないので大丈夫そうだね、との世論に誘い出す。「殺傷行為」はあったが、憲法9条上の問題になるから「武力衝突」と形容した、と答弁してしまった稲田朋美防衛大臣が教えてくれた、言い換えによる世論操作のイロハが、共謀罪にも用いられていたのである。

メディアは、易々と「テロ等準備罪」との呼称を使うべきではないし、少なくとも「共謀罪」を併記する姿勢を崩してはならないはずだったが、世論調査の結果を報じる朝日新聞の二月二一日朝刊一面には、「共謀罪」ではなく「『テロ等準備罪』本社世論調査　賛成44％反対

25%」との見出し。テロ等準備罪を「犯罪の計画段階で処罰する『共謀罪』の要件を変え、新設するもの」と説明している。賛成した四四%のうち、約半数の四六%が、一般の人まで取り締まられる不安を感じている（「大いに感じる　7%」「ある程度感じる　39%」の合算）。「取り締まられる不安はあるけど賛成します」とは奇妙だが、「一般の人まで取り締まられる不安を感じているけれど、でもほら、取り締まられるような一般人は、ほとんど一般人じゃないくらいの人だろうから、自分は大丈夫だから賛成」ということなのだろうか。公正・公平の判別をその時々の権力機関に委ねてしまう従属精神はまったく心配である。

この世論調査の問いかけの文言がどうだったかを確認すると「政府は、過去3度廃案になった『共謀罪』の法案の内容を改め、組織的な犯罪について、準備の段階から取り締まる『テロ等準備罪』を設ける法案を、今の国会に提出する方針です。この法案に賛成ですか」（傍点引用者）とある。言葉尻をとらえて日銭を稼ぐ身としては、傍点の二カ所は見逃せない。四面に掲載された「内容を改め」よりも、一面に掲載された「要件を変え」た、のほうが既にあるものをいじったニュアンスが強く、納得しやすい。それにしてもなぜ朝日新聞は、文字数も同じだというのに、「内容を改め」と尋ねたものを「要件を変え」と報道したのだろうか。

「準備の段階から取り締まる」ものだとする設問は、先に引用した「そもそもの目的が正常の目的だったとしても、その段階で（犯罪目的に）一変をしている以上、組織的犯罪集団と認める」とした首相の答弁で崩れていた。なぜ、わざわざ、この法律は危なくない、とメディアが知らせるのか。例の連投謝罪ツイートのように、へっぴり腰が社内に染み付いているのだろうか。
『クローズアップ現代』のキャスターを務めてきた国谷裕子による『キャスターという仕事』（岩波新書）を読んでいたら、二〇一五年の夏、安保法案について盛んに議論されている最中に、担当ディレクターの書いた構成表の書き出しに「なかなか理解が進まない安保法制」という文言を見つけたとある。これに対し国谷は「この言葉は、今は反対が多いが、人々の理解が進めば、いずれ賛成は増える、とのニュアンスをいつの間にか流布させることにもつながりかねないのではないだろうか」と疑った。こうやって、言葉尻をいちいち考え込む姿勢が求められる。「テロ等準備罪」は「共謀罪」の名称を変えただけのものであり、要件を変えたものとは言い難い。こういう自爆が、異議申し立てを萎ませてしまうのではないか。

政府ではなく警察の話になるが、彼らが長らく明かしてこなかったGPS捜査におけるGPS端末の運用基準が情報公開請求によって、先ごろ明らかになった。そこには「社会的危険性又は社会的反響が大きく」という極めて曖昧な基準が設けられていた。いかなる犯罪が該当するのかについて、警察庁の担当者は「一概に言えない」（東京新聞・二〇一七年二月一六日朝刊）としている。つまり、特に決まってないっす、そんなのあんたらに言えるわけないじゃないっすか、と明らかにしていたのだ。こんな彼らに「共謀」かどうかの判断を委ねることになる。「またおなか痛くなっちゃうのでは」との詰まらぬツィートに対し、その病に苦しむ人への謝罪だけではなく、宰相に理解を示す態度を示し、言い訳をしながら、吊るし上げる声に屈する。朝日新聞に向かう乱雑な声を引き受け続ける彼らが消耗するのも分かるが、何より国政がその消耗を歓待していることに気づいているのだろうか。「共謀罪」と呼ばずに「テロ等準備罪」を使い、「要件を変え」などと更なる誤解を招くような表記に直す態度に首を傾げる。結局、この法律は成立してしまったが、その脆弱な姿勢が拍車をかけてはいまいか。

そんなの場合によるだろ

北朝鮮から飛翔体が発射される度、「ミサイルの動きを完全に把握している」と繰り返す安倍首相なのだが、ではなぜ、Jアラート（全国瞬時警報システム）を相当な広域に出したのだろう。二〇一七年八月二九日、北朝鮮からミサイルが発射されたとの報を受け、北海道と本州に向けては初めてとなるJアラートが出された。日本のはるか上空を通過し、襟裳岬からはるか遠くに着弾したミサイル。「完全に把握している」にもかかわらず、東北全域のみならず、北関東三県や長野県にまで出されていた。「完全に把握」していなかったと思われる。

Jアラートをどの範囲まで出すかを判断しているのは内閣官房である。「事態室」（危機管理スタッフの通称）の一人が、BuzzFeed Newsの取材に対し、「不測の事態に備えるため、想定された飛行経路を飛ばなかったことを考慮するなど、様々なパターンを踏まえて、念のために対象を広めにしています」（二〇一七年八月二九日）と答えている。念のために対象を広めにしているのに首都圏に出さないのは、交通網が麻痺して経済活動が滞るからだろう。そもそも、首相が「完全に把握している」ならば、この「事態室」の担当者たちは首相から叱責されなければならないが、一体、どちらがウソをついているのだろう。

いや、違う。

1：ミサイルの動きを完全に把握していないのに「完全に把握している」と言っている。

2：「完全に把握している」のに、危機意識を煽るためにJアラートを広域に出している。

1か2のいずれかなのだから、いずれにせよ、首相が国民にウソをついたことになる。ウソってついてはいけない。だから、ウソをつくのは止めてください、と物申すと、愛国アラートを鳴らし続ける人からは「北朝鮮を擁護するのか」とのお言葉を頂戴する。どうしてそうなるのか意味不明だが、意味なんて詳しく問わずに突っ込む姿勢を保つ愛国アラートはがむしゃらに鳴る。とにかくその音をデカくするのに力を費やしており、中身なんてさほど問われない。大きければ大きいほど、周囲は褒めてくれる。

政府は、Jアラートで避難を呼びかける際の文言を変更した。当初は「頑丈な建物や地下に避難して下さい」だったものを、「建物の中、または地下に避難してください」と改めたのだ。その理由として、「頑丈な建物を求めてわざわざ自宅外に出たり」（朝日新聞・二〇一七年九月一五日朝刊）するなどの事案があったからとのことなのだが、「完全に把握している」はずのミサイル発射を受けて、国民を安心させる前に、建物ならばどこでもいいから逃げてと、むしろ煽る文言変更を行う意味が分からない。

この変更の意味を疑うツイートをしたところ、「頑丈な建物であればなお良いが、それを探している内にミサイルが到達して、熱線を直に浴びるよりは、頑丈じゃなくてもいいから何かしらの遮蔽物に身を隠して熱線をやり過ごした方が（着弾地点から少し離れた場所にいる人間は特に）生存確率が上がる。人文馬鹿はどうしてこの程度の事が分からないのか」（アカウント名・prep.）とのコメントをいただいたのだが、「人文馬鹿」（？）が言いたいのは、文言を変更する前に、なぜ人々を煽り続ける行為を見直さないのか、にある。

ミサイルは怖い。だからこそ、冷静に怖がらなければいけない。でも、怖がり方が定まっていない。だから、力の限り、思いっきり怖がらせてくる。「人文馬鹿」としては、その煽りが何より怖いんです、「どうしてこの程度の事が分からないのか」とお伝えしたくなる。安倍首相は発射直後、「我が国に北朝鮮が弾道ミサイルを発射し……」と記者団に語った。襟裳岬の東約一一八〇キロに落下したミサイルを、「我が国を通過した」ではなく、わざわざ「我が国に」「発射し」と言って煽ってみせた。

「完全に把握している」はずのミサイルが、本土から約一一八〇キロも離れたところに落下したのを受け、「我が国に」と言い、極めて広域に「頑丈な建物に逃げろ」との指示を出す。あっ、いや、やっぱ、頑丈じゃなくてもいい、でもとにかく逃げろ、と修正する。

北朝鮮の行動は許し難い。そして怖い。だけど、こちらの怖がり方が冷静さを欠いているのなら、まずは自分たちの目の前にあるそれを指摘したい。豪快に言い切る快感に酔いしれる弁舌にそのまま従うべきではない。国民を怖がらせれば、国民から自分たちに向けられてきた批判が萎むと踏んだ判断を前に、そのまま怖がっていてはいけない。

そんなことを考えていた折に見かけた、文化庁「国語に関する世論調査」（平成二八年度）に、人とどう対話すべきかにまつわる問いへの興味深い結果が並んでいた。例えば「問４　意見の表明や議論などについての意識」の一項目はこうだ。
（a）人と意見が食い違っているときには、納得がいくまで議論したい方だ
（b）人と意見が食い違っているときには、なるべく事を荒立てないで収めたい方だ
この二つから選ばせるのだが、平成二〇年度と今回の調査結果を比べてみると、bを選んだ人が五一・三％から六一・七％と、一〇％以上も増えている（aを選んだ人は二三・二％から二四・九％へと微増）。この調査結果を根拠に、最近頻繁に聞かれる「忖度」が可視化されたとした報道もあった。よりいっそう事を荒立てない国民になろうとしているのだろうか。この従順さと、「ミサイルの動きを完全に把握している」周辺に存在している、ウソが議論なしに放任される感じって、近い意味を持つのかどうか。

私は、「人と意見が食い違っているときには、納得がいくまで議論したい方」なので、文化庁の調査報告をめくりながら、ここでもやはり設問の立て方があれこれ気になってしまう。なぜこの二択に絞っているのだろうかと感じる質問がいくつも転がっている。例えば問４の別項目でどちらか選ぶように求められるのは、
（a）人に話をするときには、筋道を立てて分かりやすく話すことを心掛ける方だ
（b）人に話をするときには、相手の気持ちになじむように、やわらかく話すことを心掛ける

方だ
という二択。五回くらい読んでみたのだけれど、どうしてもこの二択になる意味が分からない。「筋道を立てて分かりやすく話すこと」の対岸に「相手の気持ちになじむように、やわらかく話すこと」がある。前者が「自分の意見（や筋道）を伝える」であり、後者が「相手の意見と摺り合わせる」ということなのだろうけれど、まったく奇妙な選択肢である。自分の意見と相手の意見を混ぜ合わせようとする姿勢が対話の絶対条件だと思うのだが、それすら用意されていない。

どちらでもない人のために「場合によると思う」という投げやりの回答が用意されており、もちろんこの回答が絶対的に正しいのだが、最新回の調査ではaもbも％が上がったのに対し、「場合によると思う」は平成二〇年度と比べ、一一％近く減っている（二一・八％→一一・〇％）。場合による、これが正解。これ以外にない。

こんなのもある。「問3　相手との伝え合いで重視していること」では、
（a）互いの考えていることをできるだけ言葉に表して伝え合うこと
（b）考えていることを全部は言わなくても、互いに察し合って心を通わせること
このどちらを重視しているか、を問う。これもなぜこの二択なのか、ちっともわからない。bは、察し合うためには、考えをさほど出さなくてもいいとの前提を匂わせるが、まったく真逆なのではないか。できるだけ言葉に表すことによって「察し合う」が生まれると思っているのだが、私が間違っているのだろうか。逃避手段として用意された「相手や付き合いの種類

によって異なるので、一概には言えない」だが、そう答えた人は、平成二〇年度の二六・〇％から一六・三％とかなり減っている。なんだって、一概には言えないものだ。

もう一つ。「問1　コミュニケーション能力は重要か」との問いに、多くの人が「そう思う」と答えるのは分かる。六〇代までのデータでは各世代、九七％を超えている。しかし、こういう問いに「そう思わない」と答える面倒臭い数％って大切。二〇代の結果を見て驚く。「そう思う」が一〇〇・〇％。どんな質問でも一〇〇・〇％って怖い。もはや忖度ではなく、従順、隷従なる言葉が似合う。そして、その状態を大好物とする人たちが危機感を煽ってくる。「国難突破解散」とか言ってくる。いずれかを選ばずに、一概には言えないね、この選択肢を今もこれからも大切にしたい。

書いて消せる！

「やらされモードではなく、死ぬほど実現したいという意識を持つことが最低条件」というパンチラインをご記憶だろうか。

強い権限を持つ者が「オマエの本気を見たい」などと、熱情の度合で人間を判別したがる場所に「本気」は存在しないと考えるが（何よりそんなことを言ってくる奴の「本気」がたいしたものではない。こっちのほうが大問題なのだが、それを是正するために力を貸そうとは思わない)、そもそも、オレの本気を、偉い人にプレゼンする場面を極力減らしたい性分だからこそ、自分はフリーランス稼業を選んだのかもしれない。オマエの本気はその程度か、という挑発って、一見真っ当に思えるものの、アナタの基準に合わせにいく、という行為は何より本気から遠ざかるわけで、「本気出してオレに合わせろ」という要請は、根本から矛盾している。その矛盾に本気で気づいて欲しいものだが、そういう気配はない。

「死ぬほど実現したい意識を持て」と発言したのは、加計学園の獣医学部新設をめぐって、二〇一五年に愛媛県、今治市や学園の担当者と面会していた柳瀬唯夫首相秘書官。愛媛県が作成した面談記録(備忘録)に「本件は、首相案件となっており」と記されていたことが問題視されたが、全文を読むと、その面談記録に点在している、気合でどうにかしようぜ、オマエたちの本気に期待してるぜ、と要請する態度に呆れてしまう。高校の運動部の部室にある黒板に殴り書きされたメッセージのようだ。

日頃、公表される行政文書からは決定事項だけを知らされるが、こうやってリークされた面談記録からは、決定事項ではなく、彼らが生息している場の風土をうかがい知ることが出来る。「やらされモードではなく、死ぬほど実現したいという意識を持つことが最低条件」の他には、「提案内容は、獣医大学だけでいくか、(中略)関連分野も含めるかは、県・市の判断によるが、幅広い方が熱意を感じる」「自治体等が熱意を見せて仕方がないと思わせるようにするのがいい」といった文言も並んでいる。要約すると、「なぁ、もっとやる気見せて、押し切れよ」である。柳瀬は面談自体を否定したので、当然、この面談記録の内容も認めていないのだが、仮に愛媛県の職員が完全なる創作でこの面談記録を捏造していたとしたら、ストーリーテラーとしてなかなか優秀なので、政界汚職小説の書き手になれるかもしれない、と新人賞への投稿を勧めたい。

日頃、自分たちへ向けられる疑念については「こちらの認識とは違う」という見解の相違で言い逃れることがいつまでも可能になってしまうのだが、組織の風土が滲むこの発言については、「こちらの認識とは違う」と乱暴にはね除けることは難しいはず。「やらされモードではなく、死ぬほど実現したいという意識を持つことが最低条件」という発言に対し、「見解の相違」は使えない。

このパンチラインに既視感を覚える。記憶を辿って引っかかるのは、電通の鬼十則だ。四代目社長・吉田秀雄が説いた十則の五番目に「取り組んだら放すな、殺されても放すな、目的完遂までは……」とある。「やらされモードではなく」という表現は、六番目の「周囲を引きずり回せ、引きずるのと引きずられるのとでは永い間に天地のひらきができる」なんてのと、ピッタリ対応してしまう。

死ぬ気でやれ、本気を見せろ、という働きかけが押し並べて理不尽なのは、極めてパーソナルな「本気」の基準を他者が強引に管理してくるから。

かつて、自民党に在籍し、二〇一九年に政界から引退、その際に「六年間の自分への評価は〇点。何一つ残せなかった」と言い残したのが渡邉美樹だが、彼が立ち上げたワタミグループで配布されていた「理念集」には、「365日24時間死ぬまで働け」や「出来ないと言わない」との文言があった。新入社員が過労自殺するなど「ブラック企業」の議論には必ず登場する企業だが、ワタミグループのホームページには「ワタミグループ憲章」として、「一、額に汗した利益のみを、利益と認める」「一、ワタミらしいことをすべて肯定し、ワタミらしくないことをすべて否定する」「一、100年先から見た経営をする、100年先から見た時、問われるのは数字の多寡ではなく、いかに存在し、いかに周りによりよい影響を与えたかだ」などが並んでいた。ウェブサイトに掲載されている「ワタミグループの理念」では、「社員の幸せ7項目」と題して、「一、夢を持ち、夢を追い、夢を叶える」「一、ありがとうを集める仕事を持つ」といった、曖昧なスローガンが並んでおり、日々発生する理不尽な事象をわざわざ告発するようなことはせずに揉み消せよな、という心意気を感じさせる。要するに「死ぬほど実現したいという意識」を大切にせよ、という感じだ。

渡邉美樹の発言が国会の議事録から削除された件について、ぶり返しておこう。二〇一八年三月一三日、参議院予算委員会の中央公聴会で、夫を過労自殺で亡くしてしまった女性が、労働時間の規制を強化して過労死を防ぐべき、と訴えた。すると、渡邉が「国会の議論を聞いていますと、働くことが悪いことであるかのような議論に聞こえてきます。お話を聞いていると、週休七日が人間にとって幸せなのかと聞こえる」と発言した。「ワタミらしいことをすべて肯定し、ワタミらしくないことをすべて否定する」というスローガンを、国会の場でも実践なさったのだ。この発言をする前、渡邉は「私も一〇年前に愛する社員を亡くしている経営者。

過労死のない社会を何としても実現したい」としたが、これは二〇〇八年、ワタミグループの新入社員が過労自殺し、二〇一二年に労災認定された事案を指す。

「愛する社員を亡くしている」と渡邉は言うものの、労災認定された日の彼のツイートはどうだったか。「労災認定の件、大変残念です。四年前のこと昨日のことのように覚えています。彼女の精神的、肉体的負担を仲間皆で減らそうとしていました。労務管理できていなかったとの認識は、ありません。ただ、彼女の死に対しては、限りなく残念に思っています。会社の存在目的の第一は、社員の幸せだからです」である。死んだのはオレのせいじゃないけど、死んじゃったのはマジで残念、との認識。その残念は、死よりも、オレのせいじゃないのにこんなことに、に向けられている。「週休七日」発言は、そういった思考が保たれたままであると力強く知らせていた。

あろうことか、渡邉の発言が、一週間後の二〇日、予算委員会の理事会で議事録から削除された。言葉をもてあそび、無法地帯を作る政権に加担していく。二五日に開かれた自民党の党大会では、出席者に記念品として安倍晋三首相の似顔絵入りマグネットが配られたという。水性ペンで書いては消して何度でも使えるもので、パッケージには「書いて消せる！」という文言が躍っていたが、公文書も議事録も「書いて消せる！」のだ。

参議院規則には「第158条　発言した議員は、会議録について、各議員への提供がなされた日の翌日の午後五時までに、発言の訂正を求めることができる。ただし、訂正は字句に限るものとし、発言の趣旨を変更することができない」とある。削除が認められた渡邉の発言は、

「発言の趣旨」ではないと判断されたことになる。

実際に国会の会議録を確認してみると、すでに渡邉の発言は削除されており、「まず、働くということの概念についてお話を聞かせていただきたいと思っております。(ここから、先述の「国会の議論を聞いていますと〜」の発言がすべて削除され)私は、もちろん過労死は絶対にいけませんが、働くということは決して悪いことではなく、それぞれについて生きがいであり、自己実現であり、人は働くことでたくさんのありがとうを集め、そして成長していく、そんな大事なものだと思っております」とある。

「ワタミグループ憲章」に戻ると、そこには「一、地球上で一番たくさんのありがとうを集めるために戦う」「一、ありがとうの分だけ売上を上げ、知恵の分だけ利益を出す」とある。つまり、彼の答弁は過労死遺族に少しでも寄り添おうとするものではなく、自分の理念を述べただけなのだ。皮肉なことに、発言を削除した後の文言ではそのことがより分かる。

電通に勤務していた高橋まつりさんが過労自殺し、その母親が過労死を無くすための活動を続けているが、その活動について、「死を利用して日本の労働慣習を脅し上げるなど、見当違いも甚だしい。ところが残念なことに、その見当違いをよりによって自殺した女性の母親がしている」「なぜこの人は、娘の死を社会問題などという下らないものに換算しようとするのか」(「『電通鬼十則』どこが悪いのか」『月刊Hanada』二〇一七年三月号・引用者にて改行調整)と述べたのは誰か。安倍政権をどこまでも擁護し続けた評論家・小川榮太郎であった。

相次ぐ隠蔽・改竄・削除に通底するのは「やらされモード」ではなく、死ぬほど実現したいという意識」で万事を進めようとするメンタリティにある。そんな風土を死ぬ気で維持させ、事実を死ぬ気で忘却させようとする。「書いて消せる！」社会において、消した事実を追及するのは当然として「！」に感じる「本気」を放置することを問題視しなければいけない。どうかしている。

言い訳コレクション

それにしても、自著について、「【拡散希望】私がウィキペディア（以下ウィキ）から大量のコピペをしたという悪意ある中傷が拡散していますが、執筆にあたっては大量の資料にあたりました。その中にはもちろんウィキもあります。しかしウィキから引用したものは、全体（500頁）の中の1頁分にも満たないものです。#日本国紀」（百田尚樹 Twitter・二〇一八年一一月二一日・引用者にて改行調整）と自ら暴露するツイートに驚く。

『虎ノ門ニュース』（DHCテレビ・一一月二〇日放送）で、「一番腹立つのは、百田のこの本は、Wikipediaからパクってコピペしとると。これが腹立ってね。僕ね、この本書くのにね、どれだけ資料揃えたかと。山のように資料揃えた。そんなかにはね、Wikipediaもそりゃあるよ、うん。そりゃ、Wikipediaから引用したもんとか、あるいは、借りたもんとかある。でもね、そんなもんはこの本の中の、零点何パーセントなんですよ。これ、原稿用紙でだいたい八〇〇枚くらい以上なんですけど、まぁWikipediaから借りたものなんていうのは原稿用紙になおすと、まぁ一ページ分か、せいぜい二ページあるかないか」「それをね、もうネット上で、これ、これ、これも、これも、これもって。でもね、それもね、大半が、それ、歴史的事実やし、誰書いても一緒の話や。あれ、腹たつわ。もう印象操作やで」と述べていたのを後で知り、もう一回驚く。

印象操作ではない。これらを踏まえた上で、氏の『日本国紀』(幻冬舎)を大きく展開する書店を通りかかると、参考文献を一切記さず、刊行後になってから、全体の「零点何パーセント」かを無断で引用したと著者が認めちゃった本を、大々的に薦めることにためらいはないのだろうか、とは思う。「歴史的事実」が「誰書いても一緒の話」になるならば、当該の本自体の存在を否定することになるとも思う。「日本」という「国」の「紀」など、「誰書いても一緒の話」でいいだろうか。少なくとも再版時からは、「山のように資料揃えた」ものを列挙し、当然、そこに「Wikipedia」を含めるべきである。これは「悪意ある中傷」ではなく、出版の世界が守ってきた、とても大切な慣例である。そういう慣例をも気軽に修正する主義なのかもしれず、それをせずに版を重ねているようなので(手元にあるのは四刷)、こうなると、著者と同時に、版元・幻冬舎の見識を疑わざるを得ない。

このところ、問題視された事象について、どのような言い訳を返してくるのだろうと身構えていると、その予想を飛び越えてくることばかりが続く。

中央省庁が二八機関・三七〇〇人もの障害者の雇用を水増ししていた問題では、うつ状態と自己申告した人を身体障害者にカウントしたり、裸眼視力で〇・一以下の人を視覚障害者としてカウントするなどしてきた。

第三者委員会の松井巖委員長（元福岡高等検察庁検事長）は「障害者雇用促進にかかる意識の低さや法令、ルールの理解の不徹底、計上に際してのずさんな対応。これらが相まって、大規模な不適切計上が長年にわたって継続するに至った」（朝日新聞デジタル・二〇一八年一〇月二三日）と述べたが、水増し開始時期は明記せずに、意図的な水増しを否定した。報告書によれば、「恣意的なものについて、過失はあるが違法性の認識はない」そうだ。つまり、恣意的＝「その時々の思いつきで物事を判断する」ではあったけれど、意図的＝「はっきりした考え・目的がある」（大辞林）ではなかったのだという。もしも、「その時々の思いつき」でカウントしてきたのだとしたら、その姿勢って、「はっきりした考え・目的」でそうするのと同じように、組織として深刻な問題である。

はっきりした考え・目的に対しては、それはおかしくないかと指摘し、改善を促すことができるが、違法性の認識がない人たちには改善を促すことすら難しい。ならば当然、処分を求めるほかなくなる。でも、処分はしない。東京新聞（二〇一八年一一月一四日朝刊）に、各府省庁の担当者らへの取材による、職員の処分に関する見解が羅列されており、この言い訳のそれぞれが「恣意的」の語句説明として際限なくバリエーションを与えるものだった。列挙してみたい。

「処分に値する違法な行為はなかった（厚生労働省）」「不正の意図が確認されず処分は考えて

いない（総務省）」「組織全体の対応に不備、個人の処分は検討せず（経済産業省）」「意図的な数字操作ではなく、事務上のミス（国税庁）」「特定の誰かの責任を問うのは難しい（財務省）」「現時点では処分するかどうか検討していない（防衛省）」「処分よりも再発防止の取り組みを前に進める（内閣府）」「慎重に判断する（農林水産省）」「現状で決まった方針はない（国土交通省）」

これが、「過失はあるが違法性の認識はない」という認識で語られる言い訳の数々である。日本語表現の豊かさを教えてくれるが、違法ではない、確認できない、事務上のミスです、誰かの責任なんて問えない、それよりも前に進める、なんてのが並んでいるのを見れば、彼らは、もはや言い訳として成り立っているかどうかなんてどうでもよく、とにかく言い訳してみたという状態にのみ価値を見出しているように見える。水増し発覚後すぐに書かれた池澤夏樹のコラムにあった、「誰も言わないから言っておく。官公庁がこぞって身体障害者の雇用数をごまかすような国にパラリンピックを開催する資格はない」（朝日新聞・二〇一八年九月五日夕刊・引用者にて改行調整）という端的な主張が、日に日に説得力を増していく。この国に資格なんてないのだ。

外国人労働者の受け入れを拡大し、新たな在留資格「特定技能」を二〇一九年四月に創設する出入国管理法改正案（入管法改正案）が臨時国会の最大の焦点になっているが（原稿執筆時点では審議入りした段階）、改正案の重要な関連データである、外国人技能実習生への聞き取り調査に誤りが発覚した。受け入れ先から失踪し、二〇一七年に不法滞在で強制送還の手続きがとられた実習生ら二八九二人（全体の失踪者は七〇八九人）から聞き取ったとする調査に複数の誤りが発覚したのだ。

失踪した理由について「より高い賃金を求めて」が最多だと説明していたものが、実際にはその項目自体がなく、「低賃金」とされた。これでは、外国人労働者の多くが「もっとお金が欲しいから、逃げちゃいました」とわがままを言っているようにも見えてしまう。見えてしまう、ではなく、そう見せたいのだろう。

「金が少ない」という切実な嘆きを「もっと金が欲しい」という少々がさつな積極性に変換することを「印象操作」と呼ぶが、他にも「契約賃金以下」「最低賃金以下」で働く労働者の存在が明らかになり、「指導が厳しい」や「暴力を受けた」の数値が高まった事実を受け、法務省はどう言い訳したか。再び羅列してみる。

「エクセルファイル上のデータの切り貼り作業中に必要な作業を忘れた」「類似のチェック欄に複数チェックしていた」「項目設定が適切でなかったことや担当者の理解不足」（朝日新聞デジタル・二〇一八年一一月一七日）

ここでもまた、意図的ではなく恣意的を狙っており、「担当者の理解不足」と個人のせいにしてみたり、「必要な作業を忘れた」などと、新入社員のような、うっかりミスにしてみたりしている。その言い訳を、そうだったのですか、それならば仕方ないですね、と精一杯引き受けてみれば、当然、その次には「エクセルファイル上のデータの切り貼り作業中に必要な作業を忘れ」ない人による再集計を求めるわけだが、再集計するわけでもなかった。理解が不足している担当者による集計をそのまま採用して、法を整備してしまうのである。必要な作業を忘れない人はいないのだろうか。

国税庁の口利きや条例に違反する書籍の広告看板など、いくつもの懸案事項を抱える片山さつき地方創生大臣や、国会で二〇二〇年東京オリンピックの大会ビジョンや基本コンセプトなどを答えられなかったことを、「事前通告がなかったから」と言い訳した桜田義孝五輪担当大臣など、あのように、追及を回避するためにわざわざ曖昧にしたり、問題点をそらしたりしている言い訳があちこちに放置されていることに、しっかり頭をかかえる必要がある。

このところ、「印象操作」とは、マスコミ批判に使われることが多いけれど、むしろ政治の世界の中で、印象操作が常態化している。こちらこそ、腹たつわ、もう印象操作やで、という気分である。

「令和」の騒ぎ方

新元号が「令和」に決まったが、外国政府に英語で説明する際は「Beautiful Harmony」という趣旨であると説明するそう。ダサい。これでは、売れないフォークシンガーが契約を切られる直前に出したシングル曲のようだと言ったら、そういうことを言うものではないとお叱りを受けたのだが、こぢんまりとした野外ステージで「それでは最後にもう一曲。みんなと僕たちがいつまでも一緒にいられたらいいな、きっといられるはず、そんな思いを曲にしてみました。大切にしている曲です。今日は来てくれてありがとうね。聞いてください、ビューティフル・ハーモニー！」という曲紹介の後に続くまばらな拍手……そんな光景が頭に広がっている。

ある新聞社から「新元号が決まったら、その元号について感じたことをコメントしてほしい」との依頼が来て、もちろん断った。なぜって、あらかじめ役割が決まっていて、経済学者や言語学者などの分析が連なった末席でちょっと茶化したコメントを載せ、なんとなくバランスをとってみましたとアピールする紙面に、率先して参加する必要なんてない。「令」って「命令」の「令」って感じがしませんか、いかにも安倍政権らしいですよね、と述べたところで、そんなことはないよ、こんな時にも祝えないなんて悲しい人だよね、と牽制されるだけである。なんでもかんでも政権批判に使うなんて浅ましい、と言われるための具材を提供するようなものだし、自分が答えていたかもしれない紙面を読んだら、結果的にそうなっていた。

元号に込められた意味よりも、元号をどのように政治利用するかを観察するべきだったが、新聞各紙を開いたら、「令和」の意味の探り合いと、新元号にちなんだアレコレの収集に奔走していて、さすがに呆れてしまう。新聞の号外配布に殺到する様子をテレビカメラが追いかけ、その様子をネットニュースが伝えるというのは、これぞ、平成が残したメディアミックスの姿なのだろうか。

新元号発表後、二〇一九年四月一日・二日に共同通信社が実施した全国緊急電話世論調査で、内閣支持率が九・五ポイントもあがったと聞いて、平成に戻りたくなる。新元号というものは、偶然にもそのタイミングで政権を運営している人たちが発表するにすぎないのだが、「自分たちがあれこれ動かして、ようやく『令和』に決まりました感」を増幅させたところ、メディアがそれにまんまと乗っかり、支持率がこんなにも上がったのだ。

「令和」を掲げた菅官房長官について、「みんな菅官房長官可愛いって言ってて嬉しい／この人本当すごい人で農家育ち→高卒→段ボール工場→大学という経歴から／世襲なしの叩き上げで官房長官までなって／激務で1年やるだけでクソキツいと言われる官房長官を7年務めて休日すら一切休んでない／23時就寝5時起き／元号発表するのがこの人で良かった」（@kyonkun_sos）といったツイートが拡散されるなど、「イイ話」に溢れた。

菅官房長官といえば、特定の記者からの質問を妨害し、あたかもダンボール工場のベルトコンベアのように、自分は目をつけられたくないと一糸乱れぬキーボード打ちを続ける多くの記者を飼い慣らした存在だが、彼らが従順に作り出してくれた「イイ感じ」によって、九・五ポイント上昇を作り出したのである。

「令和」発表後の安倍首相の会見は、どこまでも珍奇なものだった。そもそも元号は、「オレが決めたんです！」と前のめりで出てくるものではないが、出来る限りオレのものにしようと画策していた。記者会見の質疑応答からその気持ちが見える。

産経新聞社からの「平成の次の時代をどのような気持ちで迎え、また、次の時代のどのような国づくりをされていきたいか、お考えをお聞かせください」との問いに、首相は、「急速な少子高齢化が進み、世界がものすごいスピードで変化をしていく中で、変わるべきは変わっていかなければなりません。平成の三〇年間ほど、改革が叫ばれた時代はなかったと思います。政治改革、行政改革、規制改革。抵抗勢力という言葉もありましたが、平成の時代、様々な改革がしばしば大きな議論を巻き起こしました」「次の世代、次代を担う若者たちが、それぞれの夢や希望に向かって頑張っていける社会、一億総活躍社会をつくり上げることができれば、日本の未来は明るいと、そう確信しています」と、なぜか途中から、すっかり施政方針演説に様変わり。

自身のお気に入りワード「一億総活躍社会」を、もうひとつのお気に入りワードである「抵抗勢力」を乗り越えた先の社会に設定することで、新元号に、自分たちの物語を乗っけてみせた。

唐突に、「平成の時代のヒット曲に『世界に一つだけの花』という歌がありましたが、次の時代を担う若者たちが、明日への希望とともにそれぞれの花を大きく咲かせることができる。そのような若者たちにとって希望に満ちあふれた日本を国民の皆様と共につくり上げていきたいと思っています」と述べたのは、この会見がInstagramやTwitterで生中継されていることを意識してのことだろう。

その前の一文が「今回の元号は、『万葉集』にある梅の花の歌三十二首序文からの引用です。この中では、厳しい寒さの後、春の訪れを告げるように見事に咲き誇る梅の花の情景が美しく描かれております」だったこともあり、SMAPの再結成を望むファンから感謝の声があがったとの記事も見かけたのだが、離脱したメンバーが地上波からほとんど追いやられている現状を知れば、春の訪れを告げるように咲き誇る梅の花になぞらえるのはさすがに苦しい。

元号が変わるだけのことをこんな大騒ぎにできてしまう、彼ら周辺の手腕ったら、なかなかすごい。世の中の動かし方がわかっている人たちに違いないが、その手腕に素直に従い、このストーリーテリングに屈していいのだろうか。「令和」の解釈に奔走し、そこに安倍政権っぽさを無理矢理に勘ぐっていくのって、実は、そのストーリーテリングの範疇。勘ぐるべきは、元号の裏の意味ではなく、物語の接続方法であり、盛り方ではなかったか。

二〇一七年五月三日の憲法記念日、読売新聞の単独インタビューに答えた安倍首相は、二〇二〇年までに憲法改正を成し遂げたいとし、「私はかねがね、半世紀ぶりに日本で五輪が開催される2020年を、未来を見据えながら日本が新しく生まれ変わる大きなきっかけにすべきだと申し上げてきた。かつて日本は1964年の東京五輪を目指して、新幹線、首都高速、ゴミのない美しい街並みなど、大きく生まれ変わった。私は当時10歳だったが、世界の強豪と肩を並べて活躍する日本選手の姿を見て、『やればできる』という大きな自信を持った。（五輪は）先進国へ急成長していく原動力となった。2020年も今、日本人にとって共通の目標の年だ」（引用者にて改行調整）と述べた。

つまり、オリンピックが行われる年に改正憲法を施工したいとの意向だったが、オリンピックと改正憲法の施行が一緒である必要なんて、もちろんない。どこにもない。ちょっとどうかしている。運動会の日にわざわざ自宅の改築工事を行う必要がないのと同じである。こういった接続に対して厳しい警戒をぶつけてこなかったからこそ、今回の改元に対して、抵抗勢力に負けないための一億総活躍社会、といった言葉が飛び出すのを許してしまうのである。それとこれ、全く関係のない話だ。

下関市と北九州市を結ぶ「下関北九州道路」の整備計画について、「安倍晋三首相や麻生太郎副総理は言えない。でも私は忖度します」と述べた塚田一郎国交副大臣だが、下関は安倍首相の地元であり、北九州は麻生の地元に近く、「安倍麻生道路」とも呼ばれたが、これぞまさに総理と副総理による「Beautiful Harmony」である。この事案を問いかけようとした記者に対し、麻生は「はい？　大きな声で言えや」と恫喝した。記者は彼に雇われているわけではないのだから、「なんだ、おまえこそ。麻生、その口の利き方はないだろ」で構わないのだが、その記者は、従順に声のボリュームを上げて、捨て台詞を改めて頂戴していた。こんなことばかりが続いている。新しい元号が発表される。うん、気になる。そうか、令和か。へー。そのうち馴染むんだろうな。これで終わりである。それ以上、語ることなんてない。

政治に紐付けしていく具材として使わせてはならなかったはずだが、今回は完全に「政治ショー」として活用されてしまった。なんだかとっても大きな決断を下したかのような雰囲気に覆われたが、元号が改まることは以前から決まっていて、そのタイミングになったから発表しただけの話である。

何も政治的な決断をしていないのに一〇ポイント近く支持率が上がった経験を、これからのオリンピック、大阪万博、リニア新幹線開通などに活かそうとするはず。騒いで、興奮させて、何かを紐付けして、自由に動かしていく。テンションの上げ下げを握られている感じが心地悪い。あまりに「令和」に騒ぎすぎた結果、いくつものことを見逃してしまった。

タピオカとヨックモック

かつてナンシー関は、梅宮アンナのことを「恋愛を公開することが、ほぼ唯一の『活動』であった」と書き、神田うののことを「芸能というかテレビのト書の部分のみで生きるタレントである」と書いていた(ナンシー関『ザ・ベリー・ベスト・オブ「ナンシー関の小耳にはさもう」100』朝日文庫)。それは今も変わらない。つまり、私たちは彼女らを、具体的な仕事ではなく、単なる私事の開示によって認識している。何かしら騒ぎごとが起きると、その場には梅宮アンナや神田うののがいる。いる理由は問われない。そこにいるから、その話に耳を傾けざるを得ないのだ。

このところ、テレビの世界の中でその感じを踏襲しているのが誰かといえば、芸能界の誰それではなく、政界の小泉進次郎ではないか。二〇一九年、参院選の投票日に、ラジオの投開票番組に出演していた時のこと。番組が始まってしばらくは、投票が締め切られた二〇時の時点で発表された獲得議員数予測や当確が出た議員をアナウンサーが読み上げているので話を切り出すことはできず、スタジオのモニターに映る各局の選挙特番の映像を眺めていた。

すると、始まって間もないのに、どこかの民放局が小泉進次郎への密着映像を流し始めた。彼の選挙演説は、ご当地ネタを挟むなどして観衆を巻き込んでいて上手い、との情報は選挙のたびに繰り返されてきた。力強く断言する口調が印象的なので、決められない政治家が多い中にあって数少ない決められる政治家、そして物申す政治家というイメージだけが膨張していく。では、彼がこれまでのキャリアの中で、凝り固まった古参議員を踏み潰すなどして何かしらの成果をあげてきたかといえば、そんなことはない。ナンシー関の梅宮アンナ評になぞらえれば、「選挙応援演説を公開することが、ほぼ唯一の『活動』であった」といった感じ。

秋田選挙区では、陸上自衛隊・新屋演習場へのイージス・アショア配備計画への賛否が問われたが、結果として落選した自民党・中泉松司の応援演説に入った小泉は、この争点について一切語ろうとはしなかった。

「演説後に小泉氏を直撃、『イージス・アショアについて触れなかった理由は何ですか』と聞いたが、『(街宣で)触れていないことは他にも一杯ありますよ』と回答」(横田一「争点隠す与党と追及する野党」『週刊金曜日』二〇一九年七月一二日号)したそう。防衛省の職員が「グーグルアース」を使用して山の角度を算出し間違えるなど、説明資料に多数のミスが見つかったものの、現地入りした安倍首相は「私は日本の安全保障政策の責任者。国民の安全と命を守り抜いていく上においては、イージス・アショアはどうしても必要」(朝日新聞デジタル・二〇一九年七月一三日)と述べて配備を促した。

アメリカに要請されたものを健気に買い続けることで上機嫌を保とうとするパシリ体質に対

して物申すことはなく、自分は一枚上手であろうとする言動を心がけた小泉。彼は、次期首相候補のアンケートをとれば筆頭にあがる。同アンケートでは石破茂や菅義偉らの名前が並ぶ。彼らに対する個人的なシンパシーは極めて薄いが、かといって、小泉と並べられることに対しては、さすがに酷、とは思う。それくらい見極めようとしないのが民放の選挙開票特番の態度なのだから、彼の選挙行脚をいきなり放送するというのは、「私たちは選挙について、ちゃんとは伝えようとは思っていないんです。楽しんで頂けばそれでいいんです」と表明しているようなもの。

参院選の東京選挙区では自民党・丸川珠代が圧勝したが、公示後の読売新聞（二〇一九年七月七日・都民欄）に掲載された「主な選挙区候補者に聞く」の欄にある「ほかの候補者にはない、自身の一番のセールスポイント」に、たったひとりだけ「回答なし」と書かれていたのが彼女だった。ほかの候補者にはない、自身の一番のセールスポイントのない人が、圧倒的な票数でトップ当選を果たしたのだ。

今回の選挙にあわせて数年間更新していなかったTwitterを再開した丸川、遊説の報告以外でいよいよ「セールスポイント」を明らかにしたツイートが、「話題のタピオカ。若者文化のトレンドである一方で、プラごみのポイ捨てや容器の不統一など問題も抱えています。これこそ政治が解決すべき点、取り組んで参ります。#タピオカブーム #プラごみ #文化と環境の共存 #自民党２０１９ #参院選２０１９ #丸川珠代」だった。

東京の繁華街では、とにかくタピオカ店が増殖した。この増殖したタピオカ店がブームの下火を実感しながら閉じていくとき、次は何のお店になるのだろうかと想像しながら素通りしているが、さすがは政治家、タピオカのプラごみのポイ捨てや容器の不統一は政治が解決すべき点なのだという。政治が解決すべき点は、こういう短絡的な票稼ぎを画策する議員が登場しない仕組み・風土を整えることではないかと思うのだが、トップ当選という結果が雑音を掻き消してしまった。

以前、自民党が女性ファッション誌『ViVi』とコラボした記事広告を作ったが、セールスポイントなんてなくても、ああやって雰囲気作りが上手いか下手かで得票につながるかが決まってしまう。主な政策＝タピオカの容器統一の人に一〇〇万を超える票が投じられた。タピオカブームが去っても、彼女の座席は六年間も与えられる。

選挙に出る人は、とりあえず受かりたい人と、あれをこうしたいから受かりたい人に分かれる。せっかくの一票が前者に渡らないようにしたい。そのために日頃の活動を知ったり、演説を聞いたりするのだが、そうやって自分なりに真剣な思いを向けて、時に手厳しく問う有権者に対し、まあまあ冷静に、と宥める声があちこちから登場する世の中にある。

ボクはそんなに世の中に怒ってないですよ、だから、政治にもクールに参加しちゃうからねという表明って、ちっともクールではない。糸井重里が投票日当日、「投票用紙に、『好きではないけど』とか『今回限りと思ってほしい』とか、『応援してるけど、無策過ぎ』とか書く欄があったら、なんの足しにもならなくても、もうちょっと行った気になれる。ヨックモックを買って帰る。」とツイートした。ひとまず、怒る前に、悲しくなる。

ぼくは、政治ってものと、ちょっと距離を置きたいんだよね、でも、いちおう行くけどね、という姿勢。このツイートに批判が寄せられると、糸井は「この感想に対して『怒ってる方々』も、こんなにいるのか。あらためて勉強になりました。」とツイートした。冷静な自分、ウィットな自分、柔軟な自分、時代の半歩先を行く自分、それらをプレゼンし続けるために、政治に対して直接的な感情を見せないという選択肢を取り続けるセンスがものすごくダサい。

こちらはそのツイートに「まだこういう感じなのか。」と皮肉をこめたツイートをかぶせておいたのだが、今回の参院選は、「こういう感じ」を継続するか脱却するか、その民意を測る選挙だった。とにかくこの数年、隠蔽・改竄・忘却・密約があちこちで繰り返されてきた。政権を支持する・しないという問題以前に、自由気ままに嘘をつく人たちを承認するか・しないか、というレベルに引き下げて問うべき選挙であった。

自分には今の与党が支持できないのだが、与党を支持する人たちは、すっかり国民に向いてはくれない政治の在り方について、「そういうものだから仕方ない」と受け止めているのだろうか。人それぞれの考えがあって、その考えを肯定したり批判したりする。ある考えを持つこと自体が差別的だろうと思えば、それについて追及する。その繰り返しだ。批判を向けられたあっちもこっちを見張り、納得いかない、バカ言うな、と言葉が降ってくる。

糸井が「怒ってる方々」というまとめかたをしたことに怒る。怒る、というのはとても慎重な感情である。だからこそ、自分に対して厳しい意見をぶつけてくる人をまとめ上げるように「怒ってる」と使うのは、怒りの感情をないがしろにしている。

ぼくはここでみています、ぼくは政治とかそういうのとは、はなれたところで表現します、ぼくは熱狂せずに心地よい暮らし方を探します、そういうアピールって、もういらない、と思う。自分の意見を言わずに、時の流れに身を任せたり、時の流れを作っている気になってみたり、そういう態度をいつまで続けるのだろうか。ぼくは怒る必要なんてない、と思っているならば、「怒ってる方々」だなんてまとめないでほしい。いつまで「ト書の部分」で生きるのだろう。その部分でしか生きられないのだろうか。

論理的かつ文学的に

ある媒体から、小泉進次郎について書いて欲しいと言われ、真っ先に比較対象として持ち出したのが、少し前にネットで話題になり、書籍化もされた「あたりまえポエム」だった。「君の前で息を止めると呼吸ができなくなってしまうよ」「目が乾くと何故か涙が止まらないんだ」「君との距離が離れるほど遠くに感じてしまうんだ」といった、当たり前なのに一瞬だけイイことを言っている感じがするフレーズは、いかにも進次郎的である。これまで、自分が所属する党の方針に対しても冷静に距離を取っている感じを演出してきた彼だが、環境大臣という要職に任命されてしまえば、そういった演出も効かなくなる。

福島第一原発事故で生じた除染廃棄物などの最終処分先について具体的な方針を問われ、彼がどう答えたかといえば、「四五年三月までに県外で最終処分をすることは大きな課題」「福島県民の皆さんとの約束だと思っています。その約束は守るためにあるものです。全力を尽くします」「私のなかで三〇年後ということを考えた時に三〇年後の自分は何歳かなと、あの発災直後から考えていました。だからこそ、私は健康でいられれば、その三〇年後の約束を守れるかどうかの節目を見届けることができる可能性がある政治家だと思います」であった。

そう、これぞ、あたりまえポエムの真骨頂。最終処分先について聞いているのに、その答えが「三〇年後の自分は何歳かな」である。三〇年後の自分が何歳かを知るためにはどうすればいいのか。私個人の考え方なのでもしかしたら間違っているかもしれないけど、今の年齢に三〇を足すと、答えが出るのではないかと思う。

内閣改造で、首相側近の萩生田光一に文部科学大臣の座を譲ったのが柴山昌彦。彼が在任ギリギリまでどんな仕事をしていたかといえば、高校生からのツイートに茶々を入れ続ける仕事だった。二〇二一年よりセンター試験を廃止し「大学入学共通テスト」に移行、英語では、受験生全員が民間試験を活用することになっており、その公平性が疑問視されていた。また、記述式の問題が導入され、その採点にはアルバイトの大学生も認める方針だというから、不安ばかりが募った。

「大学入試英語成績提供システムの運営に関する協定書については、以前記者会見で締結済みの主体を発表しましたが、この度、英検が正式に加わりました」とした柴山のツイートに対し、ある教員が現政権に投票しないよう周囲にも呼びかけて欲しいと投稿。それに対し、一人の高校生が「私の通う高校では前回の参院選の際も昼食の時間に政治の話をしていたりしていたのできちんと自分で考えて投票してくれると信じています」とツイートした。

で、そのツイートを引用しつつ、「こうした行為は適切でしょうか？」と吹っかけたのが柴山だった。「学生が旬の時事問題を取り上げて議論することに何の異論もない」が、「しかし未成年者（18歳未満に引き下げられたが高3はかなりが含まれる）の党派色を伴う選挙運動は法律上禁止されている」とした。彼の言い分では「昼食の時間に政治の話」をすること＝「党派色を伴う選挙運動」であり、違法行為だと指摘したことになる。

当然だが、「昼食の時間に政治の話」をすることは、「選挙運動」とは言えない。また、この高校生のアカウントは自分が一八歳であると明かしており、たとえ選挙運動をしていたとしても何ら問題はない。仮に「昼食の時間に政治の話」をすることが「党派色を伴う選挙運動」であり、問題なのだとすれば、参院選前に作成された自民党の選挙公報映像に登用された未成年のクリエイター達だって問題視されなければならなくなる。

主な仕事が高校生を論破したい、になっていた柴山は、「選挙運動の定義を調べてみて下さい」と挑発したが、総務省のウェブサイトにある「選挙運動」の定義として、「特定の選挙について、特定の候補者の当選を目的として、投票を得又は得させるために直接又は間接に必要かつ有利な行為」とあり、どう考えてもこの高校生の「昼食の時間に政治の話」が抵触するはずがない。

それでもまだ負けたくない柴山は、この案件を報じるメディアが「公選法１３７条（私学を含む教員の選挙運動）や、同法１３７条の２（未成年者の選挙運動）の誘発につながることについて一言もコメントがない」と畳み掛けた。ならば、公選法１３７条を読んでみる。教育者は「学校の児童、生徒及び学生に対する教育上の地位を利用して選挙運動をすることができない」とし、「年齢満18年未満の者は、選挙運動をすることができない」と規定されている。

選挙権年齢を一八歳に引き下げる改正公選法が成立した二〇一五年に、文科省が総務省とともに作成した手引「私たちが拓く日本の未来」の中で、柴山が指摘した「教育上の地位を利用して選挙運動」する例としてあげられているのは、「教育者が、授業中に特定の立候補者に投票するよう働きかけること」「教育者が児童、生徒または学生に対しポスターを貼らせ、候補者の氏名を連呼させ、あるいは応援演説をさせること」「教育者が特定の立候補者に投票するよう児童を通じてその保護者に依頼すること」「教育者が保護者会の席などにおいて選挙運動をすること」である。つまり、今回は特定の候補者への投票を促しているわけではないので、問題は生じ得ない。

埼玉県知事選挙の際、大宮駅のそばで応援演説をしていた柴山に対し、大学生の男性が「柴山やめろ！」「民間試験撤廃！」との声を上げると、大学生は埼玉県警関係者ら数人に囲まれ、遠ざけられてしまった。この行為について会見で問われた柴山は「表現の自由は最大限保障されなければいけないが、選挙活動の円滑、自由も非常に重要」とし、「大声を出したり、通りがかりでヤジを発するということはともかくですね、そういうことをするというのは、権利として保障されているとは言えないのではないか」と答えた。前提として、大学生は、クローズドの講演会を妨害したわけではない。駅近くで勝手にワイワイガヤガヤとスピーチされていた状況なのであって、市民から文句を言い出す権利があるとは限らないとの認識こそがおかしい。

ちなみにその際、大学生がどのような内容のパネルを掲げていたかといえば、「大学入試改革　英語民間試験、国語記述式　即時撤回せよ!!　柴山は辞任せよ!!　若者の声を聞け!!　#サイレントマジョリティは賛成なんかじゃない」である。柴山は、Twitterに寄せられた「大半が反対なのに」という声に対し、「サイレントマジョリティは賛成です」と返答。大臣という立場なのに、マジョリティがこうだから黙っていてと促している。「抗議しよう」と呼びかけた声については、「業務妨害罪にならないよう気をつけて下さいね」とまで書いた。

先の高校生のツイートをめぐる議論でも、後日の会見で「だから個別に区切って、その文章だけ見たらね、何か大臣が高校生の政治談議を規制するんじゃないかというように勘違いをされて、そのような投稿をされている方も確かに多いんですけれども、そのようなことを私は決して企図はしていない」と述べているのだが、個別に区切っているのは、そして、勘違いしているのは、「こうした行為は適切でしょうか?」とつぶやいた柴山ではなかったか。

本誌（『文學界』）でも二〇一九年九月号で「『文学なき国語教育』が危うい!」との特集が組まれていたが、二〇二二年度から実施される高校学習指導要領の国語の科目改編で、二、三年生の選択科目は、現状の「国語表現」「現代文」「古典」が、「国語表現」「論理国語」「文学国語」「古典探究」に再編されることになった。「論理的な思考力の育成を目指す『論理国語』と、豊かな感性や情緒を育てる『文学国語』(朝日新聞デジタル・二〇一九年九月一五日)に分かれると聞けば、果たして、論理的な思考力と豊かな感性や情緒が区分けされている状態ってどういう状態でしょうかと、論理的かつ文学的に考えてみようと思い立つのだが、なかなか論理的にも文学的にも答えが出ない。

ふと、柴山のことを思う時、そうか、彼のスタイルこそ論理と情緒が分離されている状態だったのかもしれない。一連のツイートを振り返ると、まずは情緒でいこう、次は論理でいこう、もう一発、情緒でいこう、と使い分けていることが想像できる。で、結果的に、そのそれぞれが、論理として破綻していたのであった。

もしかして、柴山はこれから行われようとしている再編が無理のあるものである、と体を張って教えてくださったのだろうか。論理と情緒、そう簡単に区分けして使いこなせるものではない。大臣でなくなってからあまりお見かけしないがとても貴重な存在だった。

偉い人を守ると偉くなれるよ

誌面に本棚が写り込んでいると凝視してしまう。森友学園問題で、公文書の改竄を強要され、自ら命を絶った財務省近畿財務局・赤木俊夫さんの手記が掲載された『週刊文春』(二〇二〇年三月二六日号）を開く。真っ先に読み込んだのは手記ではなく、赤木さんの自室を写したモノクログラビアページだ。書道が趣味だったとのこと、白川静『字通』や『漢語林』などの辞書の数々や、単行本、新書、文庫がそれぞれ整然と並べられており、生真面目で勉強熱心な様子が伝わってくる。手延べそうめんの木箱の中に置物を入れている生活感が、今となっては寂しい。

新型コロナウイルスが蔓延し、科学的根拠を示さないまま、イベント自粛要請や小中高の一斉休校を決めた政府。一斉休校によって、仕事を休まざるを得なくなった保護者に対する補償は極めて薄く、フリーランスにいたっては一日・四一〇〇円。その根拠を問われた厚生労働省の担当者は、「東京都の最低賃金が1時間あたり1013円で、その4時間分働いていると仮定した」（東京新聞・二〇二〇年三月一二日）とのこと。

フリーランスの労働の平均値を算出することは容易ではないものの、かといって、最低賃金ベースで四時間働いているくらいの感じでいいだろ、という理解は飲み込めない。失政をアクロバティックに擁護し続けるジャーナリストの田﨑史郎が「フリーランス」を「フリーター」と言い続けて解説するワイドショー番組を見たが、そうか、彼らにとって、フリーランスはフリーターと同義なのだろう。フリーランスの自分、初めて知らされる事実だ。

『週刊文春』の手記掲載によって森友学園問題が再び議論の俎上にのせられたが、すると、コロナより森友問題を優先する野党やメディアへの批判が、いつもながら乱雑に向けられた。無論、自分に対してもそんな声がやってきた。それを受けて、このようにツイートしてみた。

「『コロナそっちのけで、次は森友か』みたいな声が届くが、森友も加計も桜も統計不正も大臣の無責任辞任も辺野古の軟弱地盤隠蔽もコロナの初動ミスも（他にもあれこれ）、国の対応というか作戦が『このまま忘れてもらおう！』なので、忘れなければ『次は』がずっと続く」（二〇二〇年三月一九日）

問題が発覚する→「どういうことですか」と問い詰められる→「いや、ご指摘には当たりません」などと逃げる→「いやいや、だから、どういうことなんですか」と再び問い詰められる→「ご指摘の点はすでに調査報告書に記されている通りです」などと逃げる→国民はものすごく怒る→国民が忘れ始める→一部の国民が怒り続ける→大体の国民が忘れる→問い詰められていたほうが胸をなでおろす……これがここ数年繰り返されてきたことである。この本のもととなる連載には「時事殺し」なんてタイトルがつけられていたが、今や時事問題って、問題点を刺して検証する前に、気づいたら溶けて無くなっているのだ。

赤木さんの手記は、三回忌を終えて、妻がようやく公開する決意を固めたもの。通読すると、一人の人間が壊れていく様子と、なにより、一人の人間を壊そうとする無慈悲な集団の圧が見えてくる。手記、そして大阪日日新聞記者・相澤冬樹による記事を読んで印象的だった点をいくつか挙げる。

誠実に仕事をしていた赤木さんが、公文書改竄をせざるを得ない局面に追いやられていくのを見届けていた妻は、夫が命を絶ったのを知った後、「普通ならまず119番しますよね。でも私は『財務局に殺された』って思いがあるから、つい110番に電話しちゃったんです」と言う。夫の精神が蝕まれていく様を見て、死を選んだのではなく、命を奪われたと感じたのだ。

ジャーナリスト・斎藤貴男が自殺を「強いられる死」と形容していた。「この国の社会において自殺は、とかく当事者個々人の精神的な弱さの問題として扱われてきた」が、各種データを読み解けば、「多くの自殺が個人の資質の以前に社会的な構造に起因した、容易ならざる社会問題である可能性を示唆してはいないだろうか」（斎藤貴男『強いられる死 自殺者三万人超の実相』河出文庫）とある。この本自体は二〇〇九年に刊行された本で、現在は自殺者数も年々減少傾向にあるが（二〇一九年の全国の自殺者数は二〇一六九人）、当事者の精神的な弱さという結論に落とし込もうとする手口に変わりはない。赤木さんの没後、財務省職員から「麻生（太郎）大臣が墓参に来たいと言っているがどうか?」と問われ、妻は「来て欲しい」と述べた。だが、同じ財務省職員がなぜか妻に黙って兄に連絡、「マスコミ対応が大変だから断りますよ」と一方的に告げた。その後、麻生大臣は「遺族が来て欲しくないということだったので伺っていない」と繰り返し答弁してみせた。財務省の事務次官が弔問に訪れた際、同行した近畿財務局の職員が妻に向けて、「一番偉い人ですよ。わかってます?」と言った。赤木さんが亡くなった後も、残された妻は、こうして組織に潰され続けた。

赤木さんの口癖は「僕の契約相手は国民です」だったそう。その彼が、「最後は下部がしっぽを切られる。なんて世の中だ、手がふるえる、恐い」との遺書を残していた。

公文書改竄がなぜ始まったかといえば、安倍首相が国会で「私や妻が関係しているということになれば、間違いなく総理大臣も国会議員も辞めるということは、はっきりと申し上げておきたい」と述べたから。赤木さんは佐川宣寿理財局長に強いられたとしているが、佐川理財局長や近畿財務局が、なぜ公文書改竄という異常な判断をしなければならなかったのか、その動機は見えない。なぜ改竄したか。何かを隠しているから。では、何を隠したのか。消された文言の中には「安倍昭恵夫人」の名前があった。

この手記の発表を受けて、政府首脳が何を言ったかといえば、菅義偉官房長官「関与した職員には厳正な処分が行われた。その後の人事は、任命権者である財務大臣において適材適所の人事が行われた」、麻生太郎財務大臣「正確に全てを記憶しているわけではないが、手記と報告書で(事実関係に)大きな乖離はない」「私どもの見た範囲では、新たな事実には当たらない」、安倍晋三首相「財務省で麻生大臣の下で事実を徹底的に明らかにしたが、改竄は二度とあってはならず、今後もしっかりと適正に対応していく」である。記者から「総理、ご自身の責任についてはいかがでしょうか?」と問われても、安倍首相はその質問に答えることはなかった。彼は、記者からこれ以上聞かれたくない時には、自分の話を終えると同時に体を九〇度回転させる。彼が最も俊敏に動く瞬間だ。あの瞬発力はなかなかのものだ。

この手記自体が「新たな事実」に違いないが、新たな事実ではないとする彼らの弁に付き合うとすると、財務省の報告書には佐川理財局長が「方向性を決定付けた」としたのみで、指示の有無が明記されていなかったが、この手記には改竄は「元は、すべて、佐川(宣寿)理財局長の指示です」「パワハラで有名な佐川局長の指示には誰も背けないのです」と明記されている。これが新たな事実だ。

財務省は改竄を認め、二〇人を処分したものの、検察は佐川理財局長など三八人全員を不起訴としている。軽めの処分の後に待っていたのは、栄転。佐川理財局長は国税庁長官（その後辞任）に、中尾睦理財局次長は横浜税関長に、中村稔元理財局総務課長は駐英公使に、冨安泰一郎理財局国有財産企画課長は内閣官房内閣参事官になった。偉い人を守ると偉くなれるのだ。偉い人に逆らうと偉くなれないのだ。

二〇一七年、国会でのこと。安倍首相の秘書官の一人が、佐川理財局長に歩み寄り、メモを手渡した。そこには「もっと強気で行け。ＰＭより」。「ＰＭ」とは「プライムミニスター（首相）」を指す略語だ。

何が何でも現政権を肯定する『虎ノ門ニュース』（ＤＨＣテレビ・有本香×髙橋洋一×居島一平・二〇二〇年三月一九日放送）を見た。有本の「財務省は自殺率が高い」という振りから、元財務省官僚の髙橋が「本人が思い込んじゃってるんじゃないの」「悪あがきしなければどうってことないじゃないか」「早いうちに体を壊しておけば、外してくれるから。そっちのほうが楽なのに」などと言う。居島が高笑いを繰り返す。おぞましい光景が広がる。先の斎藤が記していた「当事者個々人の精神的な弱さ」に押し付けている。

赤木さんは「僕の契約相手は国民です」を口癖にしていた。契約相手が国民ではなく、身内と専属契約して戯れる政治家・官僚が幅をきかせている。踏み潰して、忘れさせる。この非道なルーティーンに対して、覚えています、調べ直せ、と繰り返す必要がある。

どうでもいい

菅義偉首相の誕生が早々に内定した頃、ある通信社から電話が来た。組閣が発表されたタイミングで電話をするので「〇〇政権」と名付けた上でコメントが欲しい、と言われたので、「もう、そういうの、やめたほうがいいのではないか」と思いながらも、小遣い稼ぎを束ねて稼ぎとする生業なので、うっかり、「わかりました!」と元気よく返事をして電話を切った。組閣が明らかとなったタイミングで電話が鳴る。さて、武田さん、この政権、どう思いますか、に対して、このように答えた。

「名付けるならば、『安倍政権』です。うやむやにしたいこと、積もり積もった疑惑を強引にリセットして、新しい政権であるかのように見せたいのでしょうが、無理があります。『〇〇政権』と名付けるのって、伝える側が新しい政権だと認めてしまうようなものだと思います。ほら、よく、ロックバンドで、フロントマンが脱退した後に、新しいメンバーを見つけずにギタリストがヴォーカルを兼務して、これまでの楽曲を歌う、なんてことがありますが、あんな感じじゃないでしょうか」

後半のバンドのたとえは不要だった気もするが、とにかく、新しい政権は新しくない、とお伝えする。派閥政治からの脱却を宣言した後で、党内の役員を派閥に配慮した人選で整える。

安倍政権を継承すると言いつつ、安倍の実弟や家庭教師まで入閣させる。継承するならば、何をどう継承するのか、継承するためにどんな改善が必要なのか、詳細に語る必要がある。だが、とにかく、継承すると言う。この上なく土地が荒れているのに、同じ土地に新しい家を建てましたと喜んでいる。順番がおかしい。当然、そんな家はすぐに傾くことになる。

そんな菅が〝ヴォーカリスト〟を兼務する「安倍政権」だが、あちこちのメディアは菅の「素顔」を探った。パンケーキが好き。農家育ちのたたき上げ。かつては女性と話すのが苦手で赤面することもあった。どうでもいい情報の羅列だ。パンケーキなんて、おおよその人が好きである。農家で育ったからなんだというのだろう。「秋田の農家出身の苦労人」（産経新聞・二〇二〇年九月一四日）、「農家継がず上京」（朝日新聞・九月一五日朝刊）と、社論に合わせながら「菅×農家」を用いたが、農家出身で苦労しようが、農家を継がずに上京しようが、それは総理大臣の資質に関係してくるものではない。

菅内閣が発足した直後、九月一六日・一七日に日本経済新聞社とテレビ東京が実施した緊急世論調査で、七四％という、実に高い内閣支持率が叩き出された。安倍晋三内閣での八月の前回調査からは一九ポイント上昇した。この間に何かしらの政策決定があったわけでもない。政策の結実があったわけでもない。ギタリストがヴォーカルを兼務します、と発表しただけだ。「支持する理由として首相の人柄や安定感を挙げる回答が多かった」とのこと。夥しい「素顔」報道によって、菅の「人柄」が評価された。今、社内評価が落ち込んでいる人はパンケーキを片手に出社すれば人柄が評価されるかもしれない。会議で詰問された時には「でも自分、農家出身です」と叫べば、人柄が評価されるかもしれない。これくらい滑稽なことを真顔でやっている。

菅首相のパンケーキ好きを報じるならば、河井案里議員が二〇一九年七月に投稿した「【菅長官とパンケーキ】本日、つかの間の休憩で#菅官房長官とパンケーキを食べました。長官からはお茶目な一言も！ごちそうさまでした」とのツイートを取り上げつつ、かつて彼女の広報用チラシに「だから河井あんりさん」とのタイトルで、安倍晋三、二階俊博と横並びになりながら「熱い想いを持った今の日本に必要な政治家です」と絶賛コメントを寄せていた経緯を洗い出すべきだと思うのだが、パンケーキ好きの「素顔」は、なぜだかそちらには向かわない。

政治家の素顔ほど、どうでもいいものはない。菅首相は繰り返し「国民のために働く内閣」と述べている。とにかく自信満々に、そんなことを言う。当たり前のことだ。夜寝る前に歯を磨く。レジでお金を払う。階段を登るために足を前に出す。雨が降ったら傘をさす。この程度のことを自信満々に言い張る。中身ではなく、いい感じに見える状態を重視する。急いで調達した意気込みを方々に撒く。この手口こそ、彼の「素顔」ではないか。

メディアが加担する。いや、それどころか、メディアがきっかけを作る。内閣が発足すると、翌日の紙面には「横顔」が紹介されるのが新聞報道の典型だ。「表の顔」も知らないのに、「横顔」を知らされる。「裏の顔」は書かれない。経歴や実績を並べた後、必ずプライベート方面のエピソードで締める。

たとえば、朝日新聞（九月一七日朝刊）を開いてみる。上川陽子法務大臣「パン作りや手芸が得意」。どうでもいい。それよりも、西日本豪雨の際、「赤坂自民亭」に出席、翌日に麻原彰晃をはじめとしたオウム事件の死刑執行を控えていたにもかかわらず宴に嬉々と参加していたことを紹介したらどうか。

茂木敏充外務大臣「ドラマ鑑賞が趣味で、韓流ドラマ『愛の不時着』も制覇した」。どうでもいい。それより、先日、日本語で質問してきた外国人記者の質問にわざわざ英語で返し、「日本語でいいです。そんなに馬鹿にしなくても大丈夫です」と不快感を表明した記者に、再び「日本語、わかっていただけましたか?」と畳み掛けた非常識さを紹介したらどうか。

加藤勝信官房長官「ダジャレを愛する一面も見せる」。どうでもいい。それよりも、「ご飯論法」を繰り返しながら失政への追及をはぐらかし、「三七・五度以上の発熱が四日以上続いた場合」という新型コロナウイルスの受診の目安が基準と受け止められたことを、国民の「誤解」と言い張った姿勢を紹介したらどうか。

小此木八郎国家公安委員長「自民党の国会議員で結成したバンド『ギインズ』では、ボーカルを務める」。どうでもいい。平井卓也デジタル担当大臣「ギターの演奏が得意で作詞や作曲もするという」。どうでもいい。

その他の新聞もとにかくこれをやる。この人はどんな人か、を紹介する際に、実はプライベートではこんな感じなんです、を欠かさない。当人は大喜びだろう。堅物と思われるよりパンケーキ好きだと知られた方がいい。人気ドラマを見ている自分が知られた方が親しみやすいと思われる。

大活躍したスポーツ選手に対して、日頃はどんな暮らしをしているのか、プライベートを探る企画はテレビ番組の十八番だ。とりわけ女性アスリートに対し、実はファンシーグッズ好きだとか、甘いものには目がないだとか、いつもの屈強なファイティングスピリットとは異なる意外な一面を引っ張り出したがる。ハラスメントまがいの「素顔」探索だが、さすがに本人も、報じる側も、実績とは異なる部分での評価・興味であるとの前提がある。ファンシーグッズ好きが高じてハットトリック、甘いものが好きだからこその背負い投げの切れ味にはならない。報じるメディアはそこまでバカではない。

では、政治家はどうだろう。パンケーキが好きな総理大臣。マンガが好きな財務大臣。ダジャレを愛する官房長官。韓流ドラマが好きな外務大臣。そんな紹介が、政治家としての力量を判別するためにしっかり用いられている。ファンシーグッズでハットトリックはできないのに、パンケーキ好きで人柄が評価され、政権が支持されているのである。先ほどの流れと同様に、メディアはそこまでバカなのか、という問いが浮上するが、どうやら、こちらにかんしては、どこまでもバカ、という結論に至ってしまう。

政治家は空気を操縦する生き物で、その空気を観察するのってなかなか難しいものであるというのに、メディアが、その空気作りの題材を提供している。「この人はこんな感じだからもしかしたらちゃんと仕事してくれるかもしれない」という、なんら意味のない見込みによって、政権に対する支持を定めてしまう。

今回のように、初っ端から高い支持率が出れば、その中にいる人たちは、イメージの保持に勤しむ。農家で育とうが、それと政治家としての実力は関係がない。バンドで歌っていようが、それと政治家としての実力は関係がない。どうでもいい。そういうどうでもいいことをわざわざかき集め、一覧にして発表する必要なんてない。両論併記で安堵する新聞は、野党の追及が弱い、なんて書きがち。だが、そちらが書くべきもの、取り上げるべきものを誤っているのではないか。少なくとも野党は、「パンケーキ好きには嘘つきが多い！」などと、好きな食べ物を分析には使わない。

マイナンバー信仰

布マスクが来ない（二〇二〇年五月二三日現在）。来なくていいものを、ポストを開けて「今日も来ないな」と確認するのは、これまで体験したことのない苦痛なのだが、この苦痛もまた、俗に言う「新しい生活様式」の一環なのだろうか。

コロナ禍に便乗して通そうとした「検察庁法改正案」は今国会での成立が断念されたが、その旨を発表する安倍晋三首相は、「国民の皆様から様々なご批判があった」とした上で、「そうしたご批判にしっかり応えていくことが大切なんだろうと思う」と他人事のように述べた。さすが、四月七日の会見でイタリア人記者から「（コロナ対応について）失敗だったらどういう風に責任をとりますか?」と問われ、「私が責任を取ればいいというものではありません」と返しただけのことはある。

『誰かの責任にする技術』というタイトルで新書を出せばベストセラーになると思う。なにせ、「批判にしっかり応える」のではなく、「批判にしっかり応えていくことが大切なんだろうと思っている」のである。「明日こそ、お風呂の鏡にこびりついた水アカを掃除することが大切なんだろうと思う」と発言した人が翌日掃除をする可能性は一〇%くらいだろう。

ものすごく簡略化すれば、この一件は「便乗がバレたので、ひとまずやめた」ということになるが、便乗がバレていないのが、マイナンバー制度の活用である。住民票を持つすべての人に一律一〇万円を支給する「特別定額給付金」の支給方法は、市区町村が郵送する申請書を受け取り返送するか、マイナンバーカードを持っている人のみの措置として、インターネットを使って申請できる、という二つ。一向に届かない申請書を待てず、オンラインでの申請に挑戦しようとマイナンバーカードを取得したり、あるいは失念してしまった暗証番号を確認したりする人達で市区町村の窓口に長蛇の列ができたという。「こちらの列に並んで、何時間も待っていただくと、とっても素早くできますよ!」という不条理は、なんだかこのコロナ禍を象徴している。

そういったところに出かけていく人が悪いわけではない。絆はいいから金をくれ、という状況が何ヶ月も続けば、国民の多くが、とにかくいち早く一〇万円をよこせと前のめりになるのは当然のことだ。迅速化のために用意されたオンライン申請が、結果として、郵送より遅くなるかもしれないという珍奇な事態さえ生まれた。

そもそも大失敗しているマイナンバー制度を利用し、更なる大失敗を招いた。二〇一六年から本格運用されたマイナンバー制度はちっとも広まっていない。利用に必要なカード取得率はあらゆる手を尽くしても三割程度。社員一〇〇人の会社があったとして、緊急の連絡を一斉に知らせなければいけなくなったとする。その時に、社員の大半が持っていないツールを用いたら、経営陣の手腕が疑われる。同じことだ。

「特別定額給付金」の支給にマイナンバーカードを使用する判断は、現時点でマイナンバー制度が整備されていたのであれば、許された措置である。しかし、国は、しきりに聞こえる「ピンチをチャンスに！」的なスローガンを素直に抱き止めて、今こそ新規開拓、と意気込んだ。オンライン申請のための身分証明をマイナンバーカードに絞る必要なんてない。健康保険証や自動車免許証など、複数の方法を検討すべきではなかったか。

一〇万円をいち早く配ると宣言した四月一七日の記者会見で、安倍首相はこのように述べている。

「国民の皆様と共に乗り越えていく。その思いで、全国全ての国民の皆様を対象に、一律に一人当たり一〇万円の給付を行うことを決断いたしました」

「ここに至ったプロセスにおいて混乱を招いてしまったことについては、私自身の責任であり、国民の皆様に心からおわびを申し上げたいと思います」

「今回はスピードを重視するとともに、申請する人が殺到して感染リスクが高まることを避ける観点から、手続については市町村の窓口ではなく、郵送やオンラインによることにしたいと考えています」

結果的に、スピードは重視されず、申請する人が殺到して感染リスクが高まった。

そもそもこの一律現金給付は、国民が声を上げたことで実現したものだった。生活が壊れそうになっている人、まもなく壊れるのではないかと恐れている人、それぞれの切実な訴えによって、国がようやく動いたのだ。しかし、こうやって国民をいち早く救済しなければならない場面で、「焦って救済を訴えてくるんだったら、もしかして、新規開拓しやすいんじゃないか」と考えた。なかなか悪質である。

マイナンバーカードを活用していると聞けば、いかにも最先端をひた走っている印象を持つが、この給付では、ただ本人確認に使っているだけである。なぜ膨大な時間がかかるかといえば、カードのデータ内にある情報を住民基本台帳の情報と照合し、それを複数の職員の目で確認していたから。自治体によってはオンラインの申請を受け付けないところも出てきた。とにもかくにも家族でどうにかしてほしいと願う人たちの浅知恵もあったのか、世帯主に代表して支払われることとなった今回の給付金。当然、オンライン申請してきた人が、世帯主なのか、家族に記入漏れはないか、極めてアナログな確認が必要となる。「ファミリー」を基準にしておいて、「マイ」ナンバーで集めたものだから、ホントにファミリーかを確認する必要が出てきたのだ。

とにかくマイナンバーカードを浸透させたい。あらゆる紐付けを試み、健康保険証としても使えるようにするという。まずターゲットとなったのが公務員。二〇一九年、各省庁が全職員に対し、マイナンバーカードの取得の有無を尋ねる調査をしたことが問題視されたが、国は人事査定に影響はないと説明した。そもそも、現時点でマイナンバーカードの取得は義務ではない。それを半ば義務化することで、取得していない公務員が人事などで不利益を被る可能性が危険視されてきたところ、こんなニュースを目にした。

「山梨県甲州市と山梨市の消防を担う東山梨消防本部の総務課長が、マイナンバーカードを取得しなければ人事評価に悪影響を及ぼすという内容のメールを職員に送っていたことが12日、朝日新聞の取材でわかった。カードの取得は法律上の義務ではなく、同本部を管理する東山梨行政事務組合は、取得を強要する不適切な行為だったとして処分を検討している」（朝日新聞デジタル・二〇二〇年五月一三日）

カードを取得していない職員に対して、「あなたは、国の要請によっても、取得しない公務員と見なされてもしょうがありません」などのメールが送られており、「6月までに申請済みの返信メールが来ない職員に対し、7月に最終面談を行い、12月の勤勉手当の勤務成績が良好でない職員に該当する恐れがあると言及」していたそう。当然、こういうことがあちこちで起きてくる。

マイナンバーを使っても、迅速な現金給付ができなかった。その反省をふまえて、自民党が何を考えたかといえば、マイナンバー制度を諦めるどころか、預金口座や個人情報のさらなる紐付けである。

「政府が災害などによる今後の現金給付を迅速に行えるよう、自民党がマイナンバー制度を活用した公金給付の新たな枠組みを検討していることが17日、分かった。複数の関係者が明らかにした。今国会への議員立法の提出を視野に入れており、野党に協力も求める方針だ」（産経新聞・五月一八日）

今回、手続きに時間がかかりすぎたので、国が預金や個人情報をもっと把握しておけば、同じようなことが起きたときにもっと早くなるじゃん、と主張している。社員一〇〇人の会社で、三〇人くらいしか持っていないツールを用い、時間がかかってしまったので、そのツールにもっと情報を詰め込めばいいんだ、そうすれば、使わざるを得ないでしょう、という判断。もっとも信頼関係を構築してはいけないパターンに違いない。

一〇〇億円も投じた、マイナンバー制度の個人向けサイト「マイナポータル」のサーバーの利用率が想定の〇・〇二％だったことが二〇一九年に発覚している。マイナンバーのプロジェクトは、「すみません、失敗しました！」と認めるべきなのに、「いいや、失敗してません！」と言い張るためのプロジェクトと化している。挙句、国民の個人情報を掌握しようとしている。マイナンバーの話をすると、諸外国ではとっくに、なんて切り出す人も多いのだが、それを語る前に、自国の杜撰さを指摘するべき。諸外国と比べる以前の問題が積もっている。

まだ布マスクが来ない

布マスクが来ない（二〇二〇年五月二三日現在）。

これが前月の冒頭。

布マスクが来ない（六月二一日現在）。

これが今月。

昨日、ポストに何かが投函された音がしたので、急いで開けてみると、ピザ屋のチラシだった。このコロナ禍の間、ピザ屋のチラシを繰り返し受け取った。これまでは紙面に「こんなときだからこそ！」的なテンションが敷き詰められていたのだが、最新版では、いつもの感じに戻っていた。でもまだ、布マスクは、我が家にやって来ない。

テレビをつけると、ユニクロが発売を開始した「エアリズムマスク」を手にしようと、朝早くから店舗に並んでいる様子や、オープンと同時にショッピングモールの中を全速力で駆け抜けていく様子を報じている。映像にはうっすらとモザイクがかかっているが、駆け抜けるマスクたちの中に、アベノマスクをしている人は一人もいない。

洗濯して繰り返し使える布マスクを配ります、と宣言したのが四月一日。あれから二ヶ月半。みなさん、もしかして、洗濯しすぎて使えなくなってしまったのだろうか。当初、批判的に一部で用いられていた「アベノマスク」という呼称が、そのうち、ニュースや新聞記事の見出しにもためらいなく使われるようになり、最終的に、アベノマスクは「安倍のマスク」、もっぱら、安倍晋三が使うマスクになった。

安倍が「安倍のマスク」をしながら約三ヶ月ぶりに夜の会食を再開したとのニュース映像を見ていたら、同席した菅義偉官房長官も麻生太郎財務大臣も甘利明税制調査会長もアベノマスクをしていない。麻生は、四月二九日の参院予算委員会で、どうして、例の布マスクをつけていないのかと問われ、「私のところにはまだ届いていないと思います」と答えている。届けばつける、と受け取ることもできる答えだったのだから、いまだにつけていないというのは、もしかして自分と同じように届いていないのだろうか。大臣に届いていないなんて、大失態ではないか。直ちに確認をしたほうがいいと思う。

厚生労働省のウェブサイト「布製マスクの都道府県別全戸配布状況」には、「都道府県別の配布状況 全国で概ね配布完了」とある。とりわけ「全国で概ね配布完了」は、赤字で記されている。一般的に赤字が意味するのは強調で、強調とは主張であり、断言であることが多いわけだが、「概ね」なのに赤字というところが、このところの政府対応の不十分さを物語っている。

「やってる感」という言葉を投げかける度、やってます、と返ってきたが、「やってる感」を打開するための一策であった布マスク配布が「概ね」配布完了でフィナーレを迎えそうになっているのは、忘れかけていた「やってる感」を国民に思い出させてくれる。

コロナ禍の中にあって、知人・友人と会話する度に、新型コロナをどれくらい恐れているか、そのレベルの探り合いが行われた。結果、あらゆる場で仲違いが生まれたはずだが、警戒を優先するか、経済活動を優先するか、その判断のどちらが正しいというわけでもない。日頃、あらゆる物事への反応がおおよそ似てくる相手であっても、今回ばかりはズレも目立った。流れ込んでくる大量の情報を独自に編集し続ける形になったのだから、ズレるのは当然。でも、そんな時に「アベノマスクが……」と切り出すと、いつものように団結できた。同じ感覚で茶化し、皮肉り、嘲笑った。そうそう、こういうものを差し出されたら、どうひっくり返すか考える私たちだったよね、との感覚を蘇らせた。いまだに手元に届いていないが、いつもの感じを取り戻させてくれたのが、アベノマスクだった。

しどろもどろな答弁を繰り返してきた北村誠吾地方創生大臣は、数少ない「アベノマスク装着大臣」だった。五月二〇日の国会でアベノマスク未装着だった北村大臣が、その事情を明かしてみせた。なんでも、前日の夕方、配布されたマスクを二枚とも洗ったところ、「絞り方が甘かったんで、乾かなくて、今朝、着けてこようと思ったら、まだ湿っていて。あんまりでしたので、着けてきませんでした」とのことで、「せっかく頂いたみんなのマスクということで、あれを使うことを心掛けておるところでございます。大事にしたいと思っております」とした（朝日新聞デジタル・五月二〇日）。「せっかく頂いたみんなのマスク」は「せっかく納めたみんなの税金」から生まれたわけだが、話題になるのがおおよそ失言、という特異な大臣から、アベノマスクは夕方に洗っても絞りが甘いと朝までには乾かない、という有益な情報を頂戴した。

アベノマスクの話をすると、皆の顔がパッと明るくなる。自粛生活の中で溜まっていたストレスをアベノマスクが引き受けてくれたのかもしれない。二六〇億円かけて、私たちを笑顔にしてくれたのだ。自分の中の不安感を、特定の地域の人々や感染者にぶつけてはいけない。でもあのマスクであれば問題はない。だって、偉い人を除けば、使っている人はほとんどいない。たとえ使っている人がいたとしても、それは消極的利用であるはず。利用者だって、ツッコミを待っている。

つのだ☆ひろがFacebookにアベノマスクが到着した喜びを書き込んでいた。彼がどう使用したかといえば、使用すらせずに「使わずに仏壇に供えて」おくのだという。なぜか。これは「お国が僕に下さった大切なマスク」だから。お国が下さったマスクに対して文句を言うような人たちは「国家が個人のためにこの騒ぎの中、デザインを発注し、梱包を依頼し、配達をお願いして家まで届けてくれたことの有り難さを考えてください」とのこと。

私だって、考えてみたかったのだ。でも、まだ届かないのだ。文句を言う人に向けて、つのだはこう続ける。「政治や国の手法に文句があるなら、あなたが選挙に立って、選ばれて、国民のために働けば良いじゃないですか?」「反対ばかりしていないで共に前進しよう。まずは前に進んでみないと良いも悪いもわかりませんよ!」。前に進みたいのだ。でも、まだ届かないのだ。夕方に洗うと、翌朝までには乾かないこともあると知っているのに、届かないのだ。

つのだは「お国」と言う。この数ヶ月、その「お国」からの通達には、これくらいのお金を払います、これくらいの期間支払いを免除します、という、個人の生活の助けになるものが含まれていた。「お国」に感謝を表明する人たちが多くいたが、こういうものは「当たり前でしょ」と澄まし顔で受け取るか、「遅い・足りない」と文句を垂れるかのいずれかでよいのである。私たちは、こういう時のためにお金を納めている。

一〇万円の一律給付は、当初、著しく収入が減少した世帯に限った三〇万円だったし、商品券にしようとした人もいたし、お肉券にしようとした人もいたし、申告制にしようとした人もいた。「お国」は個人から集めた税金を適切に再分配するのが仕事なのだから、マスクという具体的な商品として届けられた時、不要なものであれば、思いっきり文句を垂らす権利を我々は有している。つのだは、「お国」の作りを熟知していない。マスクを仏壇に供えるって、自分のお金を仏壇に供えているようなものなのだから、ご先祖様もそれはさすがに気分を害するのではないかと心配する。

新型コロナが無事に収まった後で、一連の政治判断を振り返る時、ニュース映像にしろ、新聞記事にしろ、そこには必ず「アベノマスク」を「安倍のマスク」として占有した安倍首相が映っているはずで、それを見る度に、私たちは、緊迫した日々、緊迫しているのに対応してくれない日々、権力者が精神論でやりすごそうとした日々、一部の信奉者がマスクを仏壇に供えてまで全行動を支持しようとした日々、答弁に不安しかない大臣が原稿を読まずにアベノマスクを洗ったけど乾かなかったからしてこなかったと説明した日、会食を再開したけど自分以外の閣僚はアベノマスクをしてこなかった日、ユニクロのマスク発売に猛ダッシュで駆け込んでくる人たちが誰一人としてアベノマスクをしていなかった日のことを思い出すことができる。

アベノマスクがまだ来ない私は、アベノマスクを手にした人たちに、「で、結局、どうした？」と聞く。みんな、漏れなくニヤケながら、現在の「アベノマスク」の状態について事細かに教えてくれる。捨てた、あげた、つけた、無くしたなど、様々な反応が返ってくる。あんなの、もうどうでもいいよ、という顔をしているが、みんな、なぜだか笑顔なのだ。

あのマスクには、政府の姿勢が濃縮されている。「お国」の動きがずっと鈍いのに、それでもその中で対応し続けてきた。自分が住む東京都では自粛から自衛へ、なんて言い始めた。大失策「アベノマスク」はこの歴史を記憶する装置だ。だから、ずっと到着を待っている。あげるよ、なんて人もいるが、そうではない。「お国」からの到着を待っている。

第2章

人間が潰される

やったもん勝ち社会

異論を挟み込むために、勇気が必要とされるようになってしまった。たとえば、権力者を批判すると「よくぞ言った！」と、どこからともなく声がかかる。どうやらその声の中には、「こうやって発言をし続けていると潰されるかもしれないのによくぞ言った！」との意味合いが含まれている模様。食べるとお腹を壊すと決まっているものに手を出そうとしている人がいたら、「ダメダメ、腐ってるよ、気をつけて」と言うだろう。そこに勇気なんてものはいらない。これとまったく同じだと思う。それなのに今、とにもかくにも逆らうのは良くないよね、という雰囲気が強化されていく。これって、行動しようとする人を管理して潰すのには絶好の機会である。アメリカ当局の情報監視を内部告発したエドワード・スノーデンに協力したグレン・グリーンウォルドが危惧していた、無害で敵意のない、誰の関心も引かない人間になることに同意する流れが強まっている。でも、なぜか、無自覚なままの人が多い。言ったもん勝ち、やったもん勝ちになる。監視されて潰されるのって、嫌じゃないいんだろうか。

監視を待望する私たち

二〇一六年、伊勢志摩サミット開催にあたり、各国首脳を迎え入れる玄関口ともなる中部国際空港をかかえるのが愛知県警。彼らが作成した広報用ポスターに何とあったか。テロを未然に防ぐためとの名目で、このような人や状況に遭遇したら「通報を！」と、五つのチェック項目が掲げられていた。

□ 見知らぬ人がウロウロ…
□ 変な荷物を持っている…
□ 上着が異様に膨らんでいる…
□ 身を寄せてヒソヒソ話…
□ 不審な車・船が出没…

見知らぬ人がウロウロしていない日常を私は知らないし、身を寄せてヒソヒソ話してはいけないのなら、そこらじゅうの喫茶店は片っ端から取り締まり対象になる。愛知県警が作った広報用映像を確認してみると、お見かけしたことのない男性アイドル三人組が並び、上記の項目を挙げたのちに、「ひとりひとりの協力が伊勢志摩サミットを成功させる……日本を誇ろう！」とガッツポーズ。テロ警戒がいつの間にかプライドの強要になっていてすこぶる奇天烈なのだが、世界的にテロへの脅威が高まる時代だからこそ、「とにかくヤバいんだぜ」と緊張を高めることで、より分かりやすい意思統一を機能させようとしているのだろう。

たとえば家の近所に掲げられている「声をかけ合い、地域で子どもたちを支えよう」という看板は正しいし、「知らない人に声をかけられたら警察へ」と書かれた自治会の掲示板も正しいのだが、その二つが街中で併存しているのは奇妙に思える。こうなれば当然、万事がさじ加減になるから、個々人で「怪しそうな人」を見つけて「怪しい人」と断定しちゃってください、という帰結に至る。先の五項目は、怪しそうな人をこちらで「怪しい」と決めることが前提となっている。体感治安を悪化させ、でも怪しそうな人の判別さえできれば、これまでの安全を保てますからね、と繰り返してくる。管轄する側からすればもっとも安上がりな方法であって、奇しくもその安上がりを露呈させたのが、お見かけしたことのないアイドルによる「日本を誇ろう！」というガッツポーズだった。ボクたちが監視し合えば安全だ、には頷いてはいけない。ったく、珍奇なスローガンだよな、と身を寄せてヒソヒソ話をしたくなるが、そんなことをしていたら通報されてしまうのだろうか。

もう何年も、「しかし、個人情報漏洩・プライバシー保護の点では懸念が残る」といった補足で締めくくられる新聞記事を繰り返し見かける。補足である以上、その懸念は丁寧に考察されず、基本的には賛成です、と放置されていく。

いくつか具体例を並べてみたい。東海道新幹線内で発生した放火事件を受けて、JR東海は新幹線の一部の客室内で防犯カメラの常時録画を始めている。JR東日本では、これまでは非常ボタンが押された後に防犯カメラが作動するように設定されてきたが、今後は常時録画されるシステムに改修されるという。

防犯カメラ新設・増設を伝える各鉄道会社のプレスリリースを確認しても、録画された映像を誰がどのように閲覧し、どれくらいの期間保存されるのか、その制限についての基準は示されていない。適用ルールを曖昧にし、運用するなかでルールを定め、二〇二〇年の東京五輪に向けて一気に整えていこうとの算段でいる。こうして皆さんがあずかり知らぬ間に、皆さんの姿は常時録画されるようになる。

二〇一二年、東京メトロ飯田橋駅の駅員が、三〇代女性のPASMOの乗車履歴を無断で調べてインターネット上に公開、ストーカー行為にも及んでいたことが発覚した。彼は懲戒解雇されたが、どの立場の人間がいかなる裁量でデータを閲覧できるかを曖昧にしていたからこそ発生してしまった事案である。世の空気にすがった防犯カメラの導入だが、鉄道会社は常時録画の取り扱いについて、その詳細を事細かに明らかにするべきである。

今、勢い良くあちこちで監視が強まっている。少し前に流行ったパンツ一丁の芸人のようだが「安心してください」という甘言に騙されてはいけない。

総務省が改定したのが「個人情報保護ガイドライン」。どちらも長ったらしい名前だが「ICTサービス安心・安全研究会　個人情報・利用者情報等の取扱いに関するWG」が発表した『電気通信事業における個人情報保護に関するガイドライン』の改正について」を読むと、「第26条（位置情報）」の改定が盛り込まれている。これは、捜査活動においてGPS位置情報をどこまで利用してよいかのルールを定めたもの。「ある人がどこに所在するかということはプライバシーの中でも特に保護の必要性が高い」とした上で、主に携帯電話会社が提供する位置情報通知サービスについて、「利用者の権利が不当に侵害されることを防止するため必要な措置を講ずる」べきだとし、具体的には、外部から位置情報が取得された場合、相手に対して「画面表示や移動体端末の鳴動等」で伝えることが義務づけられていた。

つまり、何がしかの捜査に使用される場合には、「あなたの位置情報が探索されている」と知らせるルールがあったのだ。で、驚くべきことに、この度の改定では、その本人通知のルールがカットされ、本人通知なしでも位置情報が取得できるようになった。裁判所の令状を受けた事例のみという一線は保たれるものの、被疑者（説明するまでもないけれど、犯罪者ではなく、あくまでも疑いを被されている者）の位置情報を自由気ままに得ることができるようになった。

改定内容は以下の通り。

「本ガイドライン第26条第3項の『当該位置情報が取得されていることを利用者が知ることができるときであって、』及び同解説の『位置情報の取得について、画面表示や移動体端末の鳴動等の方法により、当該位置情報が取得されていることを利用者が知ることができるときであって、かつ、』を削除することが適当であると考えられる」

つまり、利用者に配慮するのをやめましたんで、と宣言した決議なのである。この会合のオブザーバーには、「一般社団法人 全国携帯電話販売代理店協会」「一般社団法人 電気通信事業者協会」「一般社団法人 日本インターネットプロバイダー協会」といった業界団体が名を連ねている。早速、新機種の一部から、本人非通知でGPSの位置情報が取得出来るようになった。自分たちで「特に保護の必要性が高い」と位置づけてきたはずの位置情報を「実効性のある犯罪捜査が困難となり、適正かつ迅速な捜査がなされない」との動機付けで変更し、フリーハンドで扱えるように規則を整えてしまったのだ。

更には、畳みかけるように刑事司法改革関連法が可決・成立した。このなかには「通信傍受の対象拡大」が盛り込まれている。これまで、捜査機関が電話やメールを傍受できる対象は四種類（薬物、銃器、組織的殺人、集団密航）のみだったが、ここに新たに九種類ものカテゴリが追加されることになった。その九種類が「窃盗、詐欺、殺人、傷害、放火、誘拐、逮捕監禁、爆発物使用、児童ポルノ」である。

弁護士の海渡雄一は言う。

「この中で注目してほしいのは〝傷害〟〝窃盗〟〝詐欺〟。この三つは犯罪の中で最も多いため、なんでもやれるようになる。常時立会いの制度も無くなるため、通信会社は求められた通信を全部納受して、暗号をかけて警察に電送する、という制度になり、警察の施設でやっていいことになる」（J‐WAVE NEWS・二〇一六年四月二九日放送）

この手の法規については「そうは言っても、疑われるような悪いことをしている人だけが対象になるんだし……」という態度がいつまでもゆるゆると機能し続けているが、その一辺倒でかわした気になるのは、規制を強める側が何より望んでいることだ。

しつこいけれど、「見知らぬ人がウロウロ…」「身を寄せてヒソヒソ話…」のポスターを「致し方ない、こういう時代だから」で放置してはいけないのと同じ。知らぬ間に自分たちの位置情報や通信情報が拾われる。きっかけさえあれば一気に収集できるシステムが整い始めてしまう。

二〇一三年の特定秘密保護法の時には大きなうねりとなった反対運動だが、この通信傍受の対象拡大や、位置情報の捜査利用については、あまり議論が活発化しない。すぐさま自分の権利は侵害されまいと油断して、「まぁ、疑われるようなことをしている人だけが……」を繰り返す。先述の通り、これだけ盛んに「疑われるような悪いことをしている人」の範囲が広げられようとしているというのに。なぜ放任しているのだろう。まさか、監視されたがっているのだろうか。

素手でトイレを磨く

トイレを素手で掃除せよ、と強いる経営者や教育者というのがあちこちにいるのをご存知だろうか。その方々は漏れなく、トイレを素手で磨くと心が磨かれる、と主張してくるのだが、その主張に、早速、心の汚れを感じてしまうのは、こちらの心があまりにも汚れていて、その汚れが、そちらのピカピカに磨かれた心に反射しているだけなのだろうか。

低アルコール飲料・ホッピーを生産している会社「ホッピービバレッジ」の採用ページに、社員が素手でトイレを磨いている画像が掲載されている。採用情報ページの「人財教育について」では、「環境整備」の大切さを説き、「環境整備には、二つの意義があります。環境を整えてより良い仕事のために備えることと、心を磨くことです。幸せな人生の実現のためには、心磨きが必要ですが、心を直接磨くことはできません。環境は、心の鏡です。心の鏡である、環境を磨くことで心を磨くことができます」と書かれている。

よく意味が分からないが、意味が分かってしまった人たちは、その結果としてトイレを素手で磨いているので、分からないままを維持した方が良さそうである。「人材」を「人財」と記すことを躊躇わない組織っておおむね危うい。

「心を磨くためにトイレを素手で磨く」、動機も行為も理解しがたい。素手でトイレを磨き上げる行為がなぜ心を磨き上げることにつながるかと言えば、人の嫌がることをできる人間でいられるかと、その精神性を問うているらしい。それは単に、個々の尊厳を潰しているだけに見える。

ホッピービバレッジの社長がかつて記していたブログには、トイレを「2時間、素手で必死に磨いた。一人だったら、できなかったかもしれないけれど　一緒にやってくれた社員がいたからできた。2時間後、まだ完全ではないけれど　抱えたいほど、愛着がわいた」（3代め社長・石渡美奈のブログ「i-Mina」二〇〇七年五月四日）とある。抱えたいほどの愛着をトイレに覚えるのは個々人の勝手だが、そちらの感動をよそに、なぜ素手じゃなきゃダメなの、という疑問を投げる。

なぜ素手か。素手トイレ掃除を広めた、カー用品チェーン・イエローハット創業者の鍵山秀三郎が、素手で磨く理由をインタビューで語っている。

「ものを持ったとき、触ったときの感触が、素手と手袋とでは全然違うからです。素手が最も感じやすく、髪の毛一本まで感じることができる。敏感な指先で感じるからこそ、問題に対処できて早く解決できるのです」（「81歳創業者は、なぜトイレを素手で磨くのか」東洋経済オンライン・二〇一四年一二月九日）

精神論なのか、技術論なのか、いずれにせよ納得できる答えではない。続けてインタビュアーから、普通、素手で掃除するのって抵抗がありますよね、と問われた鍵山は、「スポーツでも一度越えたハードルは、次に飛ぶときは簡単ですよね。最初のハードルを越えられるかどうかです。越えられない人は飛べない。飛んでみもしないで、飛べないだろうなあと眺めている」と精神論多めで答えてみせるのだが、素手で磨くというハードルの設定がいつまでも謎めいている。単に、権限を持つ者が設定した理不尽なハードルを越えてこい、という根性論ではないのか。

鍵山が相談役を務めるNPO「日本を美しくする会」では、学校での素手トイレ磨き運動を推進している。その教師のための勉強会の名前が「便教会」。ギャグ漫画のようなネーミングセンスだが、その活動は笑えない。「日本を美しくする会」のウェブサイトでは、「心を磨くトイレ掃除」と題した熱弁があり、「人が人に感動するのは、その人と手と足と体を使い、さらに身を低くして一所懸命取り組んでいる姿に感動する。特に、人のいやがるトイレ掃除は最高の実践道場」だそう。トイレ掃除は「人のいやがる」ものという設定なのだと改めて知る。つまり、そこには、学校ならば教師からの、会社ならば経営者や上司からの、いやがるものをいやがらずにやれ、との強要がある。そういう強要を精神面の浄化にスライドさせて語ること自体が、なかなか心が汚れているように思えるのだが、どうだろう。そういう自覚の上で磨いているのだろうか。

ある小学校で実施された「便教会」の活動報告書には、参加した教師のコメントとして、「掃除をし終わるとさわやかで、気分がすっきりします。『病は気から』。インフルエンザが広がる時期ですが、この便教会の活動も、流行に歯止めをかけることに貢献しているのかなとひそかに思っています」とある。掃除が終わった後に、いくら入念に手洗いをするとはいえ、ゴム手袋すらせずに素手でトイレ掃除をした人たちが、そのまま校舎のみならず街へ繰り出していくことが、何より流行を加速させる気もする。だがしかし、病は気から、なのだそう。

この実施日は日曜日。教師たちは生徒のいない休日に便教会に臨んでいることになる。教師の一人が「今日は、男子トイレの便器を綺麗にできたら、女子トイレの方へも『おかわり』に行きました」と記している。教師の性別は明らかではないが、男性であろうと女性であろうと、教師が休日の間に男子と女子の両方のトイレ掃除を素手で行い、それを「おかわり」と称している学校って、良い「環境」なのだろうか。

鍵山秀三郎は、安倍政権周辺の議論では頻繁に顔を出す組織「日本会議」とも近く、靖国神社のトイレ掃除をする会なども開いている。日本会議のウェブサイトには、鍵山の靖国神社への思いが綴られており、そこには「8月15日に100万人の国民が靖國神社に参拝するようになれば、中国などはもう何も言ってこなくなると思います。国民の国防への意思をしっかりと示すことこそが抑止力となるのです」とある。ピントがずれているというか、そもそもピントの存在からして危うい見解だが、こうして、国民はかくあるべしと見定めたり、特定の思想を礼賛したりする働きの中で、素手トイレ掃除運動が登場してくるのである。

先のホッピービバレッジの件について、前横浜市長で前衆議院議員の中田宏は、「たわしや手袋を使って掃除することを全否定するわけではありませんが、素手でしか分からない汚れもあるわけで、この会社は本当にこういうところまで細心の注意を払っていろいろなことに気が付ける人を育て、小さなことを疎かにせず、人を大切にしているのではないでしょうか」（中田宏公式WEBサイト）と書いている。小さなことを疎かにしない、とはどういうことかといえば、不特定多数の人間が排泄するトイレでは、サルモネラや腸管出血性大腸菌O157などの菌が残存しているかも、と考えてみることだと思う。

過度な愛国者が、稚拙な思考で素手トイレ磨き運動を学校教育にまで染み渡らせようとしているというのに、その活動を、全国紙の地方版や地方新聞が、律儀に、そして無批判に取り上げる姿もいただけない。すぐにいくつも記事が見つかる。

埼玉新聞（二〇一七年一二月一八日）の記事。埼玉県熊谷市の中学校で「NPO法人日本を美しくする会リーダー研修会が開かれ、一、二年生一〇九人や保護者、教職員がトイレを素手で磨き上げた」。参加した生徒たちは、「素手にためらいもあったけど、便器がどんどん白くなり達成感でいっぱい」「家のトイレもきれいに磨きたい」と話し、「同法人の千種敏夫さんは『人が嫌がるところに大切なものがある』と話している」と記事が結ばれる。

東京新聞のウェブサイトでは、栃木県宇都宮市の中学校での掃除の模様を紹介し、「日本を美しくする会」の活動を県内で実践する「栃木掃除に学ぶ会」の代表世話人のコメント「嫌なことから逃げないことが大切。自らすすんで参加した子どもたちは勇気がある。トイレ掃除から、きっと何かを感じてもらえるはず」（二〇一八年三月五日）と結ぶ。

毎日新聞の地方版でも、福岡県福岡市の中学校で「生徒や教員ら約２１０人が人の嫌がる作業を通じて心を磨こうとトイレの大掃除をした」（二〇一八年一月二八日）とある。全ての記事で、その見出しに「心」「磨く」とある。とにかく、トイレを磨けば、心も磨けると書く。ほんの少し調べれば、このトイレ磨きのムーブメントを誰が起こそうとしているのか、どういった考えに基づいているのかが分かる。新聞記者の皆様は、トイレを磨けば心も磨ける、というタイトルに打ち出した原稿を、もう少し疑って磨きあげようとは思わなかったのだろうか。

トイレを素手で磨く。それによって心を磨く。そんなことで磨かれる心ってなんだ。繰り返し冒頭の疑問に戻る。だって、そんなものはないからだ。

人間を補正する人間

医学部入試をめぐり、東京医科大に続き、順天堂大学でも女性と浪人回数の多い受験生を不利に扱っていたことが発覚した。第三者委員会の報告書には、順天堂大学の教職員らに聞き取り調査をしたところ、「女子が男子よりも精神的な成熟が早く、受験時はコミュニケーション能力も高い傾向にあるが、入学後はその差が解消されるため補正を行う必要があった」「医学部1年生全員が入る千葉県印西市のキャンパスの女子寮の収容人数が少ない」(朝日新聞デジタル・二〇一八年一二月一〇日)という説明があったとの旨が記されている。私たちは人を差別しているんです、一定の人たちを馬鹿にしているんです、と声高に宣言できる人々による措置に愕然とする。

順大では二〇一七、一八年の二年間で、計一六五人が不当に不合格となったという。女子は男子よりも精神的な成熟が早く、しばらくすればその差が解消されるので補正、とおっしゃっている人たちの多くは年配の男性だろう。ならば、その男性たちの精神的な成熟が遅れに遅れているとわかるので、優遇すべきはむしろ女子では、という意見のほうがよほど意見として機能するだろう。だが、話はそうやって反転すれば済むことではない。

女子寮の収容人数については実際には合格者選考会議などでは審議されておらず、言い訳するための材料として投下されたにすぎない。女性の人数が増えたら寮を増やせよ。全員入寮のルールを変えろよ。誰でも用意できる提案を乗り越えようとはせず、なんとかして女子を排除しやすい要素を探し出し、並べてみただけだったのだ。

他にも、北里大では、二〇一八年の医学部一般入試で、繰り上げ合格を補欠者に連絡するにあたり、成績順ではなく、現役男子を優先していた。たとえば「七〇点・女性」と「六八点・男性」がいれば、まず男性に連絡をし、彼の意思を聞いてから女性に連絡をする。なぜか。こっちは男だから。あっちは女だから。大学の言い分としては、「手術に立ち会う際の体力面などを考慮し、現役男子を優先して女子や浪人回数の多い受験生を不利に扱っていた」（YOMIURI ONLINE・二〇一八年一二月一〇日）とのこと。手術に立ち会う際の体力面を考えるなら、残念ながら老医はおしなべて現場を去らなければいけなくなる。

このところ、親族が入院していることもあり、時折、夕食の時間にあわせて病院に出向くのだが、数十人が入院している階の患者の面倒を見ている看護師数名は、全て女性だ。大きなテレビのあるスペースで食事する人が多く、その場で看護師の様子を見ていると、とにかく異様な仕事量をこなしている。食事の配膳、早速こぼしてしまった人の対応、散歩に出かけてくるという申し出の受付、家族からの細かな要請の聞き取り、どこかからの電話を続けて受け、食べ終えた食器はこの場に置いたままで構わないのかという患者からの問いかけに答え、看護師同士で仕事に漏れがないか確認し合う。ものの数分程度でこの仕事量。

私たちは人を差別していています、と宣言する人たちを支援する人たちというのが一定層いて、その代表的な意見は、Togetterにまとめられ、相当な閲覧数を記録した「東京医科大を叩いてる人達はポリコレと人命のどちらが大切か冷静に考えて欲しい。現場でないと見えない現実」との項目に並ぶ意見をいくつか拾えばわかる。

「絶対叩かれるけど、私は男性優遇は仕方ないと思う…。今の働き方で女性が過半数になれば医療は崩壊する。ママDrは17時帰り、男性医師がその分働いて埋めていて、それが当然の雰囲気になってしまっている。結婚出産しても男性医師と同じ量働くという女医の決意が育たなければ…無理もないかなと…」（みくりっつ）

「医者の数を増やさずに、子持ちの女医さんも働きやすくすると患者さんが死にやすくなります」（はむっち提督@呉鎮守府）

医療従事者の過重労働を見直そうともせず、「結婚出産しても男性医師と同じ量働くという女医の決意」を真っ先に求め、「子持ちの女医さんも働きやすくすると患者さんが死にやすくなる」というのが「現場でないと見えない現実」ならば、その現場で見えている現実が異様である。いや、実際の現場はこうなんすよ、という伝達が、今件を矮小化させる主たる手段となっている。「この現実はマズい」の返答として、「これが現実です」は機能しないはずだが、むしろ、国も一体となって「これが現実です」を補強してきたのだから、「この現実はマズい」がますます潰されやすくなっている。発覚した差別より、自分たちのために都合よく用意された現実を優先する。

厚生労働省は、医師が勤務を終えてから次に働き始めるまでの「勤務間インターバル」について八時間とする方針を提案、夜勤後や宿直明けの場合は一二時間としたいという。これまでは努力義務だったものの義務化を目指す。結果的に「医療の質や医師の健康を維持する上でも最低6時間の睡眠が必要だと判断。インターバルは8時間、宿直明けなどの場合は12時間とし、連続勤務時間は36時間までとする」（毎日新聞・二〇一八年一二月一三日）という。なんとなく改善しそうな雰囲気を感知しつつも、最後の「連続勤務時間は36時間まで」でずっこける。

学生時代、ADの仕事をしていた時、ある日の夕方から翌々日の朝まで、四〇時間連続労働に臨んだことがある。横浜の港に射し込む朝日に照らされるミュージシャンを撮り、ようやく撮影が終わる。撮影場所からの帰り道、今にも眠りそうな先輩の運転を「寝ないでください！」と定期的に声をかけながら見守っていると、真っ先に運転手以外の全員が寝入ってしまうという危ういドライブをした。三六時間とはそれくらいの時間だ。子育てをしながら医師の仕事ができないのは、できないような労働体系を国が保持しているから。働き方改革関連法では、労働者の残業時間の上限を「休日を除き年間七二〇時間」と定めたが、医師については二〇二四年四月まで規制対象外にし、「これまでの検討では、一般的な医師は休日を含め年間960時間とする。地域医療や技能を高めたい医師についてはインターバルなど健康確保措置を義務付けることで、上限を年間1920時間まで認める案を軸に検討している」（前出・毎日新聞）という。

どういうつもりなのか。この方針を柔らかい言葉で説明すれば、「めちゃくちゃ頑張ってくれる奴らだけが医者になれる仕組みを引き続き強化しますよ。家庭の事情がどうのこうのなんて言ってくる奴らは医者にはなれませんからね」である。妊娠、子育て、介護、その手の事情を持ち出す奴なんてやっぱりダメだろという態度が、医大受験の現場に浸透してきたし、これからも持続させようとしている。

東京医大は点数差別によって入学を妨げられた受験生のうち、四九人から入学を希望する意思表示があり、そのうちの四四人の入学を認めたものの、枠に限りがあることを理由に女性五人を再度不合格にした。引っ叩いた頬をさらに殴るような許しがたい措置だが、これについて柴山昌彦文部科学相が、「仮に公正な試験が実施されても合格できなかった方々」とTwitterに投稿した。人を侮辱することにためらいのない連中が、社会を動かす側にたくさんいらっしゃることにうなだれていると、「入試差別をなくそう！　学生緊急アピール」というグループから「不正入試に対する署名活動の賛同と拡散のお願い」というメールが送られてきた。

今件について憤った学生たちが立ち上がり、「【入試差別をなくそう！一万人署名】文部科学省は不正入試を行った大学を公表してください！」と題した署名活動を始めたという。その署名サイトを覗くと、そこには、実に引き締まった主張が並んでいた。

「東京医科大学は一律に女性受験者を減点した理由として、結婚や出産による女性医師の離職率の高さへの懸念を挙げました。これは明らかな女性差別であり、断じて許されるものではありません。家事や育児など家庭への責任は男性にもあるはずで、その発言の背景に透けて見える『家事や育児は女性』という差別的な固定観念を問題視するべきです。

家庭での無償労働が女性に偏る中、女性の離職率が高い背景として、絶対的な医師数の不足による過酷な長時間労働も無視するわけにはいきません。限られた医師数の中、離職が増えることは確かに現場の負担です。大学はそうした労働環境の改善や産休や育休後の職場復帰の支援など、性別に関わらず仕事とプライベートを両立できる医療現場の整備こそ取り組むべきであり、長時間労働の問題を盾に、大学入試における差別を正当化するべきではありません」

付け加える言葉はない。大人たちがはぐらかし、女性を、そして若者を潰す。「補正」されるべきはどこの誰なのか。凝り固まった思考を補正すべき人たちが、まだまだ人間を丸ごと補正する権限を行使しようとしている。

わかる人はわかってくれる

中学二年生の時に、三軒隣に住んでいる、何をするにも一緒だった小学生時代からの親友が車に轢かれて死んでからというもの、人はいつでも死ぬ、つまり、自分もいつ死ぬかわからないと思っているので、世の中に撒かれるポジティブなスローガンを基本的には受け付けない自分であっても「今日という日を一生懸命生きよう」的なことを言われると、まあ確かに、ホントにそれはそうだよな、と素直に頷いている。

あの時、彼の前で「カズちゃんは精一杯生きたんだよ」と泣き崩れていた大人がいて、そんなはずないだろ、どうしてこんな形で終わらなきゃいけなかったんだと思ってるに決まってるだろと、大人の勝手な処理に苛立ったことは、もう二〇年以上経つというのに、そのまんま思い出すことができる。

だから、とつなげるのが正しいとも思わないが、自分の中で接続されているので仕方ない。誰かの病や死をめぐる議論に、「ぶっちゃけ」の姿勢で臨んでいく人を見かけると、「そもそもこの人は、自分が明日、健康体ではなくなるかもしれない、死んじゃうかもしれない可能性を考えたりしないのだろうか」と思う。麻生太郎財務大臣が同調した「自分で飲み倒して、運動も全然しない人の医療費を、健康に努力している俺が払うのはあほらしい」という彼の「先輩」の発言がそれであり、本誌(『文學界』)二〇一九年一月号に掲載された落合陽一との対談で古市憲寿が述べた「終末期医療、特に最後の一ヶ月」の高齢者に対する、『最後の一ヶ月間の延命治療はやめませんか?』と提案すればいい。胃ろうを作ったり、ベッドでただ眠ったり、その一ヶ月は必要ないんじゃないですか、と。順番を追って説明すれば大したことない話のはずなんだけど、なかなか話が前に進まない」という発言がそれである。発言者のみならず、掲載した編集部の判断も問題だ。

「努力している俺」と実際の健康は比例しない。努力している俺も明日はどうなるかわからない。そして、「最後の一ヶ月間」を明確に規定できる人などいないのだから、「その一ヶ月」は必要ないと提案できるはずもない。提案者も、明日はどうなるかわからない。

ジェイソン・ベッカーという、ALS(筋萎縮性側索硬化症)を発症したギタリストがいる。

徐々に体の自由が利かなくなり、今では、意思表示が可能なのは、眼球の動きのみとなった。アルファベットが並ぶ透明の文字盤を見ながら、眼球を動かすことで会話を成立させる。音楽活動を諦めない彼が、頭の中で響いている音楽を、時間をかけて文字盤で伝えていく。「最初、高いキーで、再生してみてくれる?」「オクターブ上げて再生してみたい」「一一小節の二つのノート以外、後は全部削除」などと伝えながら、その指示をパソコンに落とし込み、音楽を作り上げていく。その模様は二〇一四年に日本でも公開されたドキュメンタリー映画『ジェイソン・ベッカー NOT DEAD YET ~不死身の天才ギタリスト~』で描かれていたが、彼が二十数年ぶりとなる新作アルバム『TRIUMPHANT HEARTS』を遂に完成させた。

一九九〇年にALSを発症し、当時、余命三~五年と宣告された彼が、頭の中で構築してきた音楽を改めて形にする。完成した後、彼は「このアルバムを書き上げた時、勝利を手にしたような気がしたんだ。僕の事を不憫に思う人もいるけど、そう考えてしまう事もよくわかる。でも、実際のところ僕はとても幸運だって感じているんだ」(TOWER RECORDS ONLINE・二〇一八年一一月一六日)と述べている。

検索すれば、彼が眼球で伝え続けた音楽の一部を聴くことができる。引き続き、いつ命が途絶えるかわからない状態にある。で、彼に向かって、順番を追って説明すれば、大したことない話、と言えるのだろうか。ぶっちゃけ、こういう意見もあっていいよね、という話ではない。不憫に思う人もいるけど、僕はとても幸運だって感じている、と彼は言う。そんな彼の周辺で支える人たちがいる。ならばもう、外が何を言うべきではない。繰り返すが、「健康に努力している俺」は皆、明日どうなるかわからないのだ。

押し寄せる批判をかわすようにつぶやいた、「『文學界』の対談が誤解を生んでしまったのは、想定読者を『文學界』を毎号読んでいる人だとしたからかも」という古市のツイートが解せない。なぜって、こちらは「『文學界』を毎号読んでいる人」だというのに、毎号読んでいないと思しき人が投げている批判のほうにすっかり納得し、結果、一体どこに「誤解」が生じる可能性があるのか、ちっともわからないままだから。

今、ネットでは日替わりのように、いや、毎時間ごとに、誰かしらが集中的に叩かれている。自分も叩くほうに加わったり、時には叩かれたりすることもある。その瞬間風速の中には確かにただただ乱暴なものも多いけれど、このところ、その乱暴さを対岸に用意し、自分のそばに「わかる人はわかってくれる」（逆に「自分はおまえの考え方を理解しているからね」も含む）を用意して、元々の言動からの回避に使うケースが増えてきた。

わざわざ当該の雑誌で宣言することでもないが、テレビやネットニュースに比べれば、「『文學界』を毎号読んでいる人」は少ない。そうやって絞り込んだところでは理解されるはずと伝えることで内野を作ると、外野の意見を「誤解」と片付けられる。しかし、「『文學界』を毎号読んでいる」こちらは、外野に理解を示している。

アイドルグループNGT48・山口真帆が男性ファン二人に自宅に押しかけられ、顔をつかむなどの暴行を受けた事件は、当初、隠蔽されていた。山口がTwitterや動画配信で、自分が襲われたことを明かし、運営側が対応してくれなかったと涙ながらに申し出たことで発覚した。

今件が異様だったのは、運営側が謝罪する前に、山口本人が劇場公演のステージ上で、「迷惑をかけることになってしまった」と謝罪させられたこと。被害者を謝らせる、という信じがたい対応に批判が集中した。

『ワイドナショー』(フジテレビ系・二〇一九年一月一三日放送)で、指原莉乃が一連の事件について運営側を批判していると、スタジオの話題が、指原が運営側に立つのはどうかという話に移行し、ダウンタウンの松本人志が、「まぁ、でも、それは、お得意の、なんか、身体を使ってなんかするとかさ……」と述べた。指原が数秒絶句した後で「何言ってるんですか」と突っ込んだ。

生放送ではなく収録番組であったことを考えれば、この発言をそのまま流したフジテレビの見識が疑われるが、この発言が問題視されると、翌週の放送回で松本は、「じゃあ、なんぼ親しくてもテレビ出た時は堅っ苦しく喋らなあかん世の中になってきたのかな」と、親しい関係性だったからこそあの発言が出たと言い訳した。そう、これだ。親しいからこそ、関係性があるからこそ、こういったことを言っただけなのに、もう通じない社会なんですね、と嘆く。嘆きたいのはこちらなのだが、あっちから、力ずくで、嘆き返されるのだ。

『週刊SPA!』(二〇一八年一二月二五日号)の記事内にある「ヤレる女子大学生RANKING」が問題視され、抗議の署名運動が広がり、編集部が謝罪した。署名を始めたNGO「Educate For」代表の山本和奈らが編集部に面会を申し込み、話し合いの場を設けた。実に力強い動きだと感じたが、この問題についても、雑誌を擁護する声として「出た!表現の弾圧」

「ほかの雑誌では、よくある内容だが。今回はなぜ問題に?」（AbemaTIMES内で紹介された「ネットの声」・二〇一九年一月一八日放送）との意見が出てくる。二〇一八年末、『DAYS JAPAN』の編集長だったフォトジャーナリスト・広河隆一による複数のセクハラ行為が発覚した後も、広河の後輩にあたるジャーナリスト土井敏邦が、ブログで、広河の「仕事、実績は否定されるべきではなく、きちんと評価され記録され、記憶されるべき」とし、「『紙の一部が黒いから、紙全体が黒』とする空気はどうしても納得できないのだ」（二〇一九年一月一二日）と記した。

これまで雑誌を読んできた人にとってみれば……近くで彼の仕事を見てきた人からすれば……これらに共通するのは、突然批判を浴びた当事者やメディアのそばにいる人たちが、「いきなり騒いでいる人たちったら、この界隈のルールや空気を知らないくせに、根こそぎ批判ってどうなのよ」と回避する流れである。これが横行するのは、これがそれなりに有効だからなのか。その回避、おしなべてセコい。『文學界』を毎号読んでいる人以外が誤解した、だなんて、『文學界』を毎号読んでいる人に失礼である。

気持ちをハイジャック

二〇一九年一〇月初頭、「あいちトリエンナーレ2019」を急ぎ足で巡ってきた。その場で感じたことは別の媒体で書いたので詳しくは記さないが、やっぱり探りたくなるのは、「表現の不自由展・その後」について、「日本人の普通の人の気持ちをハイジャック」「一般的にいう芸術ゆうものではないですわな」「普通の人が見て、どう思うか」（ハフポスト・二〇一九年一〇月八日）と、なぜか「日本人」や「一般」や「普通」を背負ってインタビューに答えていた河村たかし・名古屋市長の基準で見れば、「芸術ゆうものではない」作品がそこかしこに展示されていた可能性だ。でも彼らが突っかかったのは「表現の不自由展・その後」だけだった。

たとえばメイン会場となった愛知芸術文化センターからバスや電車で一時間ほどかかる、豊田市駅周辺の展示施設の一つに、明治後期から料理旅館として親しまれてきた喜楽亭がある。戦時中、名古屋海軍航空隊編成の神風特攻隊「草薙隊」が、沖縄へ出撃する前に最後の宴を開いた場所としても知られている。

この喜楽亭全体を使い、インスタレーションを作り上げたのが、シンガポールの作家、ホー・ツーニェンの「旅館アポリア」。小津安二郎監督『東京物語』や横山隆一のアニメ『フクチャンの潜水艦』の映像などを用いながら、史実と虚構が混ざり合う作品を映し出す。喜楽亭の障子が轟音の中で揺れる演出に、特攻隊として命を絶たざるを得なかった人々の思いが観る者に伝播する。

河村市長はアートの定義について、「アートの定義がなんだか分かりませんけども、まあ一般的に言ったら一人でも感動したらアートかもしれませんよ」（同前・以下同様）と述べたし、記者から「一般的にいう芸術とは、どういうものだとお考えですか？」と問われて、「そりゃ、ああいう政治的なメッセージがあるものなら、ピカソの『ゲルニカ』とか、ああいうやつですわ。それから平和なやつだと、『モナリザ』とか」と答えている。平和なやつだとモナリザ、と答えた意味は不明だが、この程度の認識で、「日本人の普通の人の気持ち」を背負うのはなかなか「日本人の普通の人」(って誰?) に対して失礼だし、彼の基準で、この喜楽亭での作品を見れば、絶対に許せなかったはずである。場所がちょっと遠いから見に行かなかったのだろうか。

これまでのトリエンナーレについて「(これまでに、あいちトリエンナーレは) 3回やったけども、みんな楽しゅう、楽しいゆうか、現代アートのプロモーションをやってちょ、いうだけだったの」とした河村市長。現代アートのプロモーションをやってちょ、と言われて、やったる、と頷いた彼が、感動したらアート、楽しゅうのがアートと認識、それ以外だと感じたものに噛み付いたのだ。なんかもう、超適当である。

会場で配られるパンフレットでは、豊田市駅周辺の展示を紹介するページに、展示の特徴として「常識的な規範を超えた表現は人々の固定観念を揺さぶる」という、ごく当たり前に思えるスローガンが書かれている。それすら受け入れず、常識的な規範を自分の規範と同化させて、それ以外を非常識と決めつけて罵る人を改めさせる方法はなかったのだろうか。河村市長には、愛知芸術文化センターの前に座り込んで抗議する時間があれば、他の展示も見て欲しかったのだが、彼が座り込んだのは七分間だけだから、豊田市駅にはたどり着けない。

文化庁所管の独立行政法人「日本芸術文化振興会」が、九月二七日付で、文化芸術活動への助成について、「公益性の観点から不適当と認められる場合」に内定や交付決定を取り消すことができるように交付要綱を改正した。日本芸術文化振興会が扱う「芸術文化振興基金」の目的は、「政府から出資された541億円と民間からの出えん金146億円の計687億円を原資として、その運用益をもって文化芸術活動に対する助成に充てて」（日本芸術文化振興会ウェブサイト）いるもの。

その「交付要綱」の第8条「交付の決定及び通知並びに不正等による交付内定の取消し」に加えられたのが、「公益性の観点から助成金の交付内定が不適当と認められる場合」。これまでは、「要望、申請について不正の事実があった場合」「助成対象活動の遂行が、助成金の交付内容又はこれに附した条件に違反していると認められる場合」など、あくまでも手続き上や活動の遂行についてであり、「公益性の観点」が問われることはなかった。

この改正のきっかけとなった映画が、池松壮亮・蒼井優主演の『宮本から君へ』。二〇一九年三月に助成対象とする映画を決定し、この映画には一〇〇〇万円の支援が決まっていたが、七月に交付内定を取り消していた。その理由は、同作に出演しているピエール瀧が麻薬取締法違反で執行猶予付きの有罪判決を受けたこと。出演者の中に犯罪者がいるからダメなのだという。担当者いわく、「国が薬物使用を容認するようなメッセージを発信することになりかねず、公益性の観点から交付内定を不適当と判断した」とある。

まったく、類い稀な想像力をお持ちだ。『麻薬ダメ！』という映画で申請したのに、出来上がってみたら『麻薬バンザイ！』という映画になっていた、なんて話ではない。ところが、

「公益性の観点」を持ち出し、麻薬で逮捕されたような人が出ている映画にはお金を払えないとし、だって、これを認めたら国が薬物使用を容認していると思われるじゃん、という判断が下せるようになってしまった。ある映画作品に対して、お金が払われる予定だった。しかし、そのキャストに、法律に違反して逮捕された人がいた。じゃあ、これはダメだ、という。どうかしている。

この論理でいけば、多くの公共図書館から、前科のある書き手の作品を引っこ抜かなければいけない。館内閲覧などで映画作品が見られるようになっているところもあるだろうから、出演者の前科を全て調べ上げ、その作品を見られないようにしなければいけない。なぜって、彼らの論理に準じれば、公共機関が法律違反を容認するようなメッセージを発信することになりかねないからだ。大変な作業である。でも、彼らが示した「公益性」って、そういうことだ。

安倍首相は新元号「令和」を発表した直後の会見で「平成の時代のヒット曲に『世界に一つだけの花』という歌がありましたが、次の時代を担う若者たちが、明日への希望とともにそれぞれの花を大きく咲かせることができる。そのような若者たちにとって希望に満ちあふれた日本を国民の皆様と共につくり上げていきたいと思っています」と述べている。この歌の作詞・作曲者は覚せい剤所持で逮捕された過去を持つが、まさか安倍首相は薬物使用を容認しているのか。そんなはずはないが、文化庁の言い分ではそうなってしまう。

公益性、という言葉には、細かな定義がない。社会一般の利益を意味するが、これをポップな言い方に変換すると「日本人の普通の人の気持ち」「一般的にいう芸術ゆうもの」なんて言い方もできてしまう。つまり、河村市長の思い込みに近づいてくる。単なる主観のくせに、自分の判断で「公益」を生み出して規制に乗り出す仕草を見せつけたのが河村市長。だが、残念なことに、彼のように、ツッコミどころを無数に残してくれる権力者は少ない。みんなもうちょっとクレバーだから。閉鎖的に公益性が用いられる時、どこまでも恣意的な判断が繰り返されることになる。

『宮本から君へ』に主演した池松壮亮は、公開記念舞台挨拶に登場、企画された「〇×トーク」で、「ぶっちゃけ公開できないと思った?」と問われて、登壇者全員が「×の札(公開できる)」を上げたあとで、司会からコメントを求められて、「これはちょっと…。これ以上、やめましょう」(ORICON NEWS・二〇一九年九月二八日)と答えたという。主催側がネットニュースになるのを狙ったのだろうが、実にくだらない質問だ。ピエール瀧が逮捕された後、所属レコード会社が、瀧が所属する電気グルーヴ作品の店頭在庫回収と出荷停止とデジタル配信停止を決めたが、このようにして、大きな決断をする人たちの「公共性」「公益性」に対する考え方が明らかに未熟だと、作品が不幸な状態に置かれてしまう。

その不幸な状態が、今回の改正によって、範囲を堂々と広げようとしている。ここで生まれる「公益性」とは、オレたちがこう思ってるんだから、みんなそう思ってるんじゃないかな、うんうん、そうに決まってるよ、おまえら勝手にやってんじゃねーよ、である。今回の「あいちトリエンナーレ」では、河村市長がそのことを繰り返し教えてくださった。彼らは、公とは何かではなく、自分たちが公だと思っている。こちらとしては、彼らにこそ、「日本人の普通の人の気持ちを「ハイジャック」されたくない。

長い人生なのに

自民党の保守系議員が有志で結成しているのが「日本の尊厳と国益を護る会」(代表幹事・青山繁晴参院議員)。なかなか大仰な会合名で、これでは護れるものも護れない気がしてくるが、彼らが求めるものは男系の皇位継承の堅持。

「現在皇位継承順位を持つ年少の男性皇族は、秋篠宮ご夫妻の長男、悠仁さましかおられない」が、かといって、「一度も存在したことがない女系天皇を認めれば、『異質の王朝』『天皇ならざる天皇』を生み出すと危機感をあらわにした」(産経ニュース・二〇一九年一〇月二一日)とのこと。今はとにかく女性ばかりだけど、やっぱり男性がいいから、男性が生まれるまでヨロシクね、こっちも焦らず待ちましょう、という構えだ。

しかし、「悠仁さましかおられない」中では、もはや強制である。そもそも、当人がどういった性的指向を持つ人かもわからないし、特定の人物との婚姻を望むかもわからないし、婚姻関係を結んだとしても子供を望むかどうかなんてわからない。尊厳と国益を護る会の人たちは、まず、この段階で特定の個人の尊厳を奪っているとは考えないのだろうか。

即位関連の儀式が一段落したら提言を出すとしていた彼らは、一一月一九日、女性天皇と女系天皇の違いなど皇統の歴史に関する理解促進を目的とした漫画を出版する方針を明らかにした。その原案を前出の青山議員が、作画を「島耕作」シリーズで知られる漫画家の弘兼憲史が担当するのだという。

「青山氏は取材に『日本の伝統の根源を学び、知識を深めるきっかけにしてほしい』と語った。女子高校生が主人公のストーリーになる」（共同通信・二〇一九年一一月一九日）とのこと。どうしてこういう時に、やたらと女子高校生が登場するのだろう。知らない人に何かを教えようと試みる時に、ひとまず「女子」を登場させてみる癖を見直したらどうか。こういう心がけが、ありとあらゆるところで男女の格差が縮まらない日本社会の尊厳をさらに鈍らせることにもつながると思うのだがどうか。

この「護る会」は、「あいちトリエンナーレ」の「表現の不自由展・その後」について、開催翌日の段階で、「『芸術』や『表現の自由』を掲げた事実上の政治プロパガンダであり、公金を投じて行われるべきではない」との意見を表明していた。近現代史研究者・辻田真佐憲がTwitterで「現代アートは、ネット右翼運動の新しい『金脈』になってしまいました」（二〇一九年一二月六日）と述べたように、芸術表現の中に反政府的な匂いを嗅ぎ取った途端に、こんなものに「公金」なんて使ってないだろうな、使っているんだったら即刻とり下げろ、と敵視してみる流れが生まれている。この「護る会」のトリエンナーレに対する苦言、打って変わって、自分たちが率先してやろうとしているのは、女子高校生が主人公の漫画。この二つが、今のう。

芸術表現は抵抗のために存在しているという私の認識が「偏向」しているならば、抵抗のためにも存在していると下方修正してみる。警察官による発砲が相次ぐなど緊迫が続く香港情勢だが、市民たちの間で「願栄光帰香港（香港に再び栄光あれ）」というタイトルのプロテストソングが広まっている。八月末に二〇代の男性がネットにアップした曲がまたたく間に浸透したそう。

日本では、自覚的なのか無自覚なのか、人気ミュージシャンが「さぁいざゆかん 日出づる国の 御名の下に」（RADWIMPS「HINOMARU」作詞・作曲 Yojiro Noda）、「TVじゃ深刻そうに右だの左だのって だけど 君と見た靖国の桜はキレイでした」（ゆず「ガイコクジンノトモダチ」作詞・作曲 北川悠仁）と歌い上げ、こぞって、抵抗より迎合に流れていく様子ばかりを見かける。ここからはなかなか、プロテスト（抵抗）は出てこない。

ピンク・フロイドの「イデオロギーの源」こと、ロジャー・ウォーターズが二〇一七年から二〇一八年にかけて行ったワールドツアー『US＋THEM』が映画化され、日本でも一日限定で公開された。彼の言動はどこまでも直接的。今回のツアーでは、多くの若者をステージ上にあげ、「Resist（抵抗せよ）」とのボードを掲げた。移民を排斥するトランプ大統領の姿勢に対して「豚」と連呼し、豚をかたどった巨大風船にトランプの似顔絵を貼り付け、スタジアムに浮遊させた。自ら豚のマスクをかぶり、途中でそのマスクを脱ぐ。表には「天下は豚のもの」、裏には「豚なんてクソ喰らえだ」と書かれている。敵意をむきだしにすることにためらいがない。

映画にあわせて公開されたショート・ドキュメンタリー・フィルム「A Fleeting Glimpse」のなかで、ロジャーがこのように語る。

「私は頭にきていたんだ。もう何年も。間違いなく何年もだ」

「『我々（us）』も『彼ら（them）』もない」

「私たちはみんな『我々』なんだ」

たとえ今の心境を問われようとも、その質問に答える必要はない、とする。

「どうして頭にきているのか説明するのはとても難しい。頭にきていなかったとしてもだ」

「知ったことか。完全に終わることはないんだから」

頭にきているのかを説明する必要はない。「なぜそんなに怒っているんだい？」という問いかけが、議論のきっかけになるならばまだしも、今、その問いかけは、怒っている相手を宥めようとするために使われがち。

東京五輪のマラソン・競歩がＩＯＣの命令によって東京から札幌に変更されたと思ったら、今度は安倍政権による「桜を見る会」の私物化問題が話題になる。その前に議論されていた、英語民間試験導入延期や関西電力の経営幹部らが福井県高浜町の元助役から多額の金品を受け取っていた問題などを追いかける余地がなくなってしまう。これだけ目先に悪事が差し出されれば、目先の悪事に怒るしかなくなってしまう。

ジャーナリスト・佐々木俊尚のツイートに「Twitter見てると毎日毎日なにかに怒っていて、

しかもその怒りの内容が日替わりって人がけっこういて、そんなにいろんなことに毎日怒ってばかりいて、長い人生なのに心の健康大丈夫なのでしょうか」(二〇一九年一一月一五日)とあるのを読み、思わず、「隠すから怒る。逃げるから怒る。嘲笑ってくるから怒る。怒りたくなる事案を日替わりで発生させるほうをなぜ注視しないのだろう」と書き込んだ。自分の心の健康よりも世界の平和を願っているような人間でもないのだが、ここまで日替わりで怒るべきことを発生させてくると、長い人生のためにも怒っておいたほうがいい気がする。

怒ること、抵抗することって、そんなに簡単に軽視されてしまっていいのだろうか。最近では彼のように、いつだって自分は冷静、と打ち出してくる人から軽視される覚悟を決めなければいけないのだが、そもそも軽視するほうの判断が間違っているのでは、とこちらは考える。

一九五〇年代からの公民権運動でプロテストソングがブームになり、ベトナム戦争やイラク戦争でも、抵抗する歌が生まれた。「9・11」が発生すると、放送局が多くの曲を規制した。そこにはジョン・レノン「イマジン」まで含まれていた。平和を訴える曲は似つかわしくない、との判断だ。犠牲者を追悼するベネフィット・コンサートで、この曲をわざわざ歌ったのがニール・ヤングである。彼は、後に反ブッシュを露骨に打ち出した『リヴィング・ウィズ・ウォー』や、多国籍バイオ化学メーカーのモンサントを批判する『ザ・モンサント・イヤーズ』なるアルバムを出した。

「そんなにいろんなことに毎日怒ってばかりいて、長い人生なのに心の健康大丈夫なのでしょうか」。ニール・ヤングもロジャー・ウォーターズも七〇代、いろんなことに毎日怒ってばかりいる彼らは、長い人生、心の健康を保っている。

どれだけの芸術に、プロテストが含まれているだろうか。こんなにも怒りをぶつけるべき対象が多い時に、今度は、公金が含まれているなら、その芸術は国家に逆らうものであってはならない、なんて稚拙な意見が勢力を増してきている。この自発的な監視網の強化を、公権力は嬉しがっている。

「どうして頭にきているのか説明するのはとても難しい。頭にきていなかったとしてもだ」「知ったことか。完全に終わることはないんだから」

この態度。ロジャーは「人類（ホモサピエンス）は、今まさに岐路に立たされている」と繰り返す。怒っているだけじゃ変わらない、とする分析屋さんがそこかしこにいる。分析しているだけではもっと変わらないと思う。そんなことをしているうちに、「公」が芸術を管理し始めた。「豚なんてクソ喰らえだ」というロジャーの「偏向」が、日に日に勇敢に思えてくる。

まったくいい加減

日々何をしているかといえば、原稿を書いているのだが、それと同じくらいの頻度で、原稿の先延ばしの相談を繰り返している。締め切りが火曜日ならば、月曜日に編集者にメールを送り、「木曜日まではなんとか……」と告げると、「了解しました。調整してみます」と返ってくる。その後、原稿を水曜日に送ると「予定より早くあげてくださってありがとうございます」と感謝のメールが返ってくる。締め切りを遅れているのに感謝されるとは、我ながらなかなかの高等テクニックではないかと自画自賛するのだが、こんな簡単な手口に感心しているのは自分だけで、編集者は、はいはい、いつもの手口ね、と無表情で作業をしているはずである。

明日の締め切りを明々後日にしてもらって明後日に送ろう、などとセコいズルを仕込んでいる日々にこういうニュースを見かけると、職種やスケールを飛び越えて羨ましくもなる。

「政府は、安倍政権の看板政策の一つの『女性活躍』の目玉として掲げる『指導的地位に占める女性の割合を30％程度』に上昇させる目標の達成年限について、『2020年』から『30年までの可能な限り早期』に繰り延べする調整に入った。現状では女性管理職などの割合は30％にほど遠く、『20年の達成は現実的に不可能』（政府関係者）と判断した。年内にも策定する今後5年間の取り組みを示す第5次男女共同参画基本計画に盛り込む」（毎日新聞・二〇二〇年六月二六日）

無理だったので、一〇年延ばすという。達成を目指していた年になって、うわっ、そうだった、今年だった、無理でしょ、なので、一〇年延ばします。同じく毎日新聞の記事によれば、「政府内では、今年生まれた世代が社会の中核を担う50年に『男女が同じように指導的地位に就いているような社会を目指す』との方向性を示す案も浮上している」ともある。結局その数値は明記されなかったが、「2020年までに指導的地位に占める女性の割合を30％程度」から、「50年に男女が同じように指導的地位に就いているような社会を目指す」という案が浮上したこと自体が、約束を守るつもりなんてなかったことを教えてくれる。二〇一九年の第四次安倍再改造内閣発足時点で、閣僚一九人と首相を加えた二〇人の平均年齢は六一・六歳なので、およそ三〇年後にはこの世界に在籍している人は少ない。新たな男女共同参画基本計画なるものも、どこかで、オレらの時では無理だったから、あとはよろしく、と放り投げる気持ちが込められているのだろう。自分もこれくらい豪快に原稿からしらばっくれたいものだが、ただ仕事を失うだけである。

このところ、なにかと「女性活躍社会」という言葉を聞き続けてきた。安倍政権が成長戦略の柱にしてきた看板政策なので、この数値目標については、二〇一二年の衆院選では自民党が公約に「確実に達成」と明記していたし、二〇一四年の世界経済フォーラム年次総会では、安倍首相が「国際公約」とまで言ってのけた。確実に達成します、国際公約ですと言い切ったものをやっぱりやめたと匙を投げる。要するに欲しかったのは、これから女性を活躍させます、というスローガンだけだったようなのである。二〇一五年に閣議決定された「第4次男女共同参画基本計画」には「政策領域目標」が羅列されており、国家公務員の本省課室長相当職に占める女性の割合をその時点で三・五%だったものを七%にまで引き上げるとしていたが、実際には五・三%（二〇一九年七月現在）で、そもそも「三〇%程度」ですらなく、七%とかなり低く設定していたものさえクリアできていないことになる。

二〇二〇年は、五年に一度、男女共同参画基本計画が策定される年だが、先んじて「第5次男女共同参画基本計画策定に当たっての基本的な考え方（骨子案）」が公表されており、そこには、「第４次」で三〇％が達成できなかったことについて、「４次計画においては、将来指導的地位に成長していく人材を着実に増やすなど、30％という水準の実現に向けた道筋をつけることに取り組んできた」（傍点引用者）と記している。なんだかとっても歯切れが悪い。というか、意識的に歯切れを悪くさせている。そうすれば、あとで言い訳ができる。水準の実現に向けた道筋をつける、として、繰り返された30％という数値を、あれはあくまでも努力目標にすぎないものだったとトーンダウンさせてみせる。

手元に、二〇一三年に刊行された『女性が活きる成長戦略のヒント　Vol.1　20／30プロジェクト。』（プレジデント社）なる本がある。自民党の女性議員が集まって作った本で、執筆者には片山さつき、小渕優子、三原じゅん子、森まさこなどの名前が並ぶ。この本の編者は誰か。小池百合子である。当時、自民党内の女性活躍推進のための委員会を取り仕切っていた小池、その委員会名は、「女性が暮らしやすい国はみんなにとっていい国だ特命委員会」である。略称は「いいくに作ろう鎌倉幕府」に倣って「１１９２委員会」。その後、都知事になった小池は、二〇一七年の記者会見の場で、この委員会について、こう振り返っている。

「かつて私、自民党内に『いい国勉強会』というのをつくって、『女性が暮らしやすい国はみんなにとっていい国だ』と言うので、そして女性政策をばっとまとめて、そのいくつかが今実施されているところでありますが、これは『女性』という観点で見て、さっきの結婚・出産・子育てという、こういう人を中心にしたものですよね。第二弾も考えていたのですけれども、それは今度は『男性が暮らしやすい国はみんなにとっていい国だ』にしよう。その次は、シニアにとって、その次、子供にとって、その次、障害者にとって、全部、『人から見る』ということが重要じゃないかということで、『みんなにとっていい国だ』という、やたら長いテーマ、タイトルを、『女性が暮らしやすい国はみんなにとっていい国だ特命委員会』と、いいくに（１１９２）鎌倉幕府じゃないですけれども、そういうふうにしました」（小池知事「知事の部屋」二〇一七年七月二一日）

まったくいい加減な人だ。まったくいい加減な人であることは、コロナ禍で毎週のように掲げられるパネルの多さからもわかるが（知り合いの記者に聞いたところ、会見場に入ってきた段階で、小脇にパネルを抱えているか否かをチェックするらしい）、この著作で、小池は、女性の活躍ではなく、労働力の確保の話を繰り返していた。

「急速な少子高齢化によって労働力が減少し続け」ており、「現有の労働力にプラスできるのは、女性、シニア、外国人の３つのチョイスしかありません」。とっても乱暴な議論だ。「シニアに働き場所を確保し、年金の受給者というよりは納税者としてがんばってもらうのもひとつですが、それだけではなかなか労働力は増えません」とあり、女性か外国人かいずれかに絞ってしまうのだが、「では、外国人を受け入れることを日本社会が許容するのでしょうか」「日本の持っているよき価値観を守ることは大切です。『女性は家庭にいてほしい』と願う男性が多いのも事実です。では、『外国人をこれ以上受け入れること』と『日本の女性が社会に出ること』、どちらが日本社会の価値観を保てるのでしょうか。『女性は家庭に』『外国人はダメ』というのは簡単ですが、どちらかを選ばなければならないという瀬戸際にある日本にとって、答えは自ずと出ているように思います」とした。シニアはダメ、外国人もダメ、だから、女性がいいかな。さぁ、女性のみなさん、輝いてみてください、というわけだ。

小池が虚言に虚言を重ねて成り上がってきたことは石井妙子『女帝　小池百合子』（文藝春秋）に詳しいが、外国人と女性を択一で選ばせたくせに、ゆくゆくは「みんなにとっていい国だ」にしたかったなどと後になって嘯く。この本のオビの袖には「なでしこを雇用するか　外国人を雇用するか」と書いてある。実に差別的な見識だ。

「女性も指をくわえて、ただただ仕事を与えられるのを待っているだけではいけません。飲みニケーションが良いか悪いか別にして、何がなんでも参加してやろうという意欲がなければ、『ガラスの天井』は破れません。新約聖書の『求めよ、さらば与えられん』ではありませんが、本人が自ら求めなければ前には進めないのです」などと、いつの間にか女性への厳しい目線を投じる。

なぜ、この国に女性が活躍できる社会が到達しないかが端的に見えてくる。政治家がさほど重要な問題だと思っておらず、先延ばしにできると思っている。ひとまず言ってみて、あとで適当に取り繕うことができる。コロナ禍のもとで毎日のように思ってきたことではあるのだが、改めて、本当に無責任な人たちである。

憂慮されておられる

二〇一九年末、あるトークイベントの本編が終わり、質疑応答の時間に移行すると、一人の女性が手を挙げた。

神妙な面持ちで、一体何を話すのだろうかと身構えていると、「昭和がとっくに終わり、もう平成も終わり、令和に入ったというのに、どうして私たちは、秋元康一人を倒せなかったのでしょうか」と述べた。会場は、笑っていいのかいけないのか、一秒ほどの沈黙を経て、大きな笑い声に包まれた。その笑いはおそらく「倒せなかった」という力のこもった形容に対するものだったのだろう。ステージからは、その女性の表情が見えたが「笑いごとではありません」という厳しい顔をしていた。確かに笑いごとではない。

二〇一九年、NGT48に在籍していた山口真帆がファンの男性二人に暴行を受けた一件が発覚した。すると、なぜか、山口自身が舞台上で「お世話になった方にも迷惑をかける形になったこと、本当に申し訳なく思っています」と謝罪させられた。暴行された側が謝るなんてどう考えても異様。だが、この異様な様子を経ても、組織を取り仕切る秋元康は表には出てこず、当時、AKSの運営責任者だった松村匠が、記者会見の場で「（秋元氏は）やはり憂慮されておられます。早くこのNGTが次の道へ進めるようになりたいという風に考えておられると思います」と述べた。
この件について秋元が発言しない理由を「NGTの運営ということに関しては、弊社AKSが全権を握っております。それを全面的に対応しております。報告書の中にございましたように、秋元さんはクリエイティブのところを中心に担当されているので、ということでご理解いただければと思っております」と述べ、担当セクションが異なることを主たる理由にしてみせた。

だが、「憂慮されておられます」「考えておられると思います」という表現が、特別な立場の表明になっている。営業部長は経理部長に向けて「憂慮されておられます」とは言わない。もし、「クリエイティブのところを中心に担当されている」のだとしたら、クリエイティブの結晶である舞台上で謝罪させた判断に言及するべきだった。それなのに憂慮のみで済ましてしまうのならば、そのクリエイティブがだいぶ鈍ってきているのではないかとも感じるのだが、その鈍りは、こちらがどうこう言うものでもない。どうでもいいことだ。

アイドルを管理する組織が表面上に流してくる「物語」をそのまま信じる人はもはや少ないし、その裏で様々な思惑が交錯していることを多くの人が理解しているが、その手の思惑に浸る必要などない。あの組織からは定期的に、心身の不調を訴えた上でメンバーが抜けていく。万能調味料のように「物語」をふっかける仕草によって、定期的な体調不良が生じている。

たとえば、AKB48に在籍していた渡辺麻友が芸能界からの引退を発表したが、所属事務所が発表した声明には「渡辺麻友より『健康上の理由で芸能活動を続けていくことが難しい』という申し入れ」があり、「数年に渡り体調が優れず、これまで協議を重ねて参りましたが、健康上の理由でしたので身体の事を最優先に考え」た上で、契約を終了したとあった。理由が具体的に記されているわけではないが、「心身の回復を図り普通の生活に戻れるよう」ともあるから、精神面での不調が想像される。人気投票の結果によって相応のポジションが与えられ、それを保つために、あるいは更に上げるため、ひたすら笑顔での握手が求められる当人の心労を想像することは難しい。もちろん、その職務ならではの喜びも無数にあったのだろうから、一概に否定されるべきではない。

だが、不調が長引いたことによる引退を前にして、「最後まで恋愛スキャンダルゼロを貫き、高いプロ意識と王道のアイドルを目指した彼女は、男性だけでなく多くの女性ファンからの支持も集めました」（女性自身・二〇二〇年六月一五日）、「人気アイドルながらスキャンダルはいっさいなし。清純キャラを貫いた」（東洋経済オンライン・二〇二〇年六月二日）などと、体調不良による引退を、恋愛沙汰が一切表面化しなかったことへの賞賛に変換する「物語」は、あまりに業界の常識に染まりすぎた非常識ではないか。彼女らが課されている恋愛禁止というルールは、そもそも人権侵害である。それを遵守できなかったメンバーが丸坊主にさせられたことさえあったが、スキャンダルを不祥事と和訳するならば、恋愛を不祥事だと規定している組織の放任こそ、不祥事そのものである。

そうそう、そういえば、「憂慮されておられ」る方が、かつて、グループ内で生じた不祥事についてこんなことを語っていた。

「僕らも失敗を繰り返し、親に怒られ、先生に怒られ、大人たちに怒られてきた。それを、世間知らずだったり血迷ったりして、たった1回やったからと、彼女たちの夢を閉ざしてしまうのは、あまりにも酷だ。それは違うだろうと。だから、最初に解雇した子には『けじめとして解雇するけど、とにかく戻ってきなさい』と言った。これは、昔のボーイフレンドと撮ったプリクラ写真が出ちゃったんです。いまにして思えば、大したスキャンダルではないですけど」

（秋元康×田原総一朗『AKB48の戦略！　秋元康の仕事術』アスコム）

プリクラ写真が出てきたので「けじめとして解雇」し、あとになって「大したスキャンダルではない」と語る。やはり、この認識こそ不祥事である。女性アイドルが搾取される構造をテーマのひとつに据えた松田青子『持続可能な魂の利用』（中央公論新社）の中に、こんな一節があった。

「日本の中高年男性にとって、女の子は、自分たちを安心させてくれる、どんな意味でも脅威にならない存在だったのでしょう」

だからこそ、力強いパフォーマンスをされると動揺する。

「パフォーマンスとして、女性たちに強さを打ち出されたくらいで脅威に感じるなんて、わたしたちは日本人男性のナイーブさに驚くしかありませんでした」

そう、ナイーブさを守るために、商売道具に恋愛を禁じさせてきたのだ。

二〇二〇年夏、香港の民主活動家・周庭が香港国家安全維持法違反の疑いで逮捕されたが、保釈後、拘束中に欅坂46の楽曲「不協和音」（作詞・秋元康　作曲・バグベア）にある「最後の最後まで抵抗し続ける」が頭にこだましていたと述べたことに、日本のメディアが歓喜した。彼女が日本のアイドルやアニメに強い興味を持っていることは以前から知られていたが、理不尽な拘束中に、秋元康作詞の楽曲が支えとなったとの事実を受けて、たちまち「物語」が発動した。

彼女に向けられる「民主の女神」という呼称は日本だけで繰り返されているもので、その呼称について、当人も、これまでインタビューなどで繰り返し違和感を表明してきた。それでも「物語」化によって安堵を欲する人たち、それこそ「女性たちに強さを打ち出されたくらいで脅威に感じる」人たちが、今回の周庭のエピソードを喜んだようなのだ。

アイドル評論家の中森明夫が「僕はYesと言わない」などと歌うこの曲について、『それを秋元康が言わせているじゃないか』という二重性、三重性で捉えられている」が、今回はそれを「同じ東洋人の若い女性が本気で受け止めた」（朝日新聞・二〇二〇年八月二〇日朝刊）と分析しているが、「秋元康が言わせている」というのは、二重性・三重性ではなく、単に「一重性」ではないか。

一度放たれたメッセージをどう受け止めるかは聴き手次第であって、聴き方を縛りつけてはいけないが、周庭がそのように聴いたからといって、いつもの構造に新しい「物語」を持ち込むのは話がうますぎる。

「Yesと言わない」であるとか、あるいはかつて歌った「大人たちに支配されるな」（「サイレントマジョリティー」作詞・秋元康 作曲・バグベア）が、当人たちによる主体的なものなのだ、としたいのならば、恋愛禁止などという人権侵害を維持したままなのは、さすがに話が矛盾している。昔のボーイフレンドと撮ったプリクラ写真が出ちゃったから、けじめとして解雇する大人は、まさしく支配する側、拘束する側である。

朝日新聞は、「香港から再び響く『不協和音』」と見出しに掲げた先の記事で、周庭が日本記者クラブで記者会見をしている写真と、二〇一七年の紅白歌合戦で、「不協和音」のパフォーマンスを終えて倒れ込む欅坂46の平手友梨奈の写真を横に並べている。

もし、その両者に、そう簡単に屈しない、などといった親和性があるのだとすれば、抑圧してくる主体も横並びにする必要があると思うのだが、それはしない。一体、誰に憂慮をされておられるのだろうか。

第3章

五輪を止める

優先され続けた祭典

東京オリンピック・パラリンピックは直ちに中止すべきだと、ここ数年言い続けてきた。以降に続く文章にその理由をちりばめているが、福島原発はアンダーコントロールされていると嘘をつき、コンパクトな規模でやるのでお金はそんなにかかりませんとしらばっくれ、賄賂なんて渡していませんと隠れ、復興の妨げになっているくせに復興五輪だと強気になり、スポンサーになったんだからそこんところヨロシクねとメディアを牽制し、新型コロナウイルスがどんなに感染拡大しようとも中止を即断せず、むしろ、五輪を「人類が新型コロナウイルスに打ち勝った証として開催したい」と活用し続けた。やる、やらない、ではなく、それどころではない。これがコロナ以降の五輪への評価に違いない。為政者が五輪開催をゴールに置き続けた結果、何がないがしろにされたか。人間の命や営みである。この本が発売になった時点で五輪開催がどうなっているかはわからないが、もし開催が中止になっていたとしても、その決断は遅すぎたと言える。なぜって、これを書いている時点で明らかに遅いから。それどころではないのに、なんとかしてやろうとしていたのだ。

あのね、君たちなんて、どれだけ人気であろうが、所詮単なる有期雇用契約の労働者に過ぎないのだから一丁前に逸脱した行動を起こすんじゃないよと、トップアイドルが五人並んで会社の首長に謝らされる姿をなぜか日本国民で共有するという奇特な事態をはじめとして、何かと芸能界が騒がしい。

血の中で思うとは

この騒がしさの中ではいくつもの些末な案件が素通りされることになるが、「五木ひろし、新『東京五輪音頭』制作提案　遠藤五輪相と意見交換」（スポニチ・二〇一六年二月九日）という記事には、意識的に立ち止まるべきだろう。かつての東京五輪で流行りに流行った「東京五輪音頭」を再び、という企図は百五十歩くらい譲って理解できるものの、五木が「新たな音頭の制作と積極活用を提言」すると、遠藤利明五輪相が「五輪音頭で盆踊りをした経験を紹介し『スポーツに関心がない人でも五輪とのつながりができる』」と答えたというのだから、実に不安なやり取りである。五木に対し、特段後ろ向きな思いはないが、同時に前向きな思いもない。彼が歌うことを前提に進められているわけではないが、町内会の寄り合いで夏祭りの出し物を決めるようなアプローチで定める事項ではないだろう。しかし、この町内会的なアプローチは、この国で、大きな意思決定を下すにあたってのデフォルトになっている。万事を町内会化させる力学が強化されている。

嘘のスピーチや裏金など、ズルを重ねてゲットした東京五輪を前にして、日本文化をどのようにして海外へ発信するかがあちこちで問われているが、その具体的なプランを練る安倍首相直轄の有識者会議「『日本の美』総合プロジェクト懇談会」が二〇一五年一〇月に発足している。座長に就任したのが安倍首相の長らくのお友達である俳優・津川雅彦だった。彼は、民主党政権時代に「二〇一二年安倍晋三総理大臣を求める民間人有志の会」の発起人を務めている。「国民のフラストレーションを一掃する総理はこの方しかいない」（有志の会ウェブサイト）との熱いメッセージを記して力強く推した、恩人の一人だ。国民のフラストレーションをここまで高めさせた総理はこの方しかいないのでは、と返したくはなる。

「日本の美」懇談会の目的は「我が国の文化芸術の振興及び次世代への保存継承を図るとともに、文化芸術と日本人の美意識・価値観を国内外にアピールし、その発展及び国際親善と世界の平和に寄与するための施策の検討に資するため」（首相官邸ウェブサイト）とあり、この手の組織特有の、言ってはみたものの、明日から何をしたらいいのかちっともわからない抽象的な言葉が並んでいる。公開されている「議事要旨」を通読してみると、一掃してくれるはずのフラストレーションを新たに溜め込む形になっている。以降の引用は、この「議事要旨」からのものである。

そもそも彼らが共有しようとしている「日本の美」とは何だったのか。津川は言う。「『日本の美』は、縄文時代から始まっている。縄文の大自然の中で、生きとし生けるもの全てに命が宿り、神が宿るという自然を愛する心が、1万6000年を経て今日にまで至っているものだと考えている」

おおそうだったのかと、わざとらしく驚いている場合ではない。彼は縄文の心が今日にまで至っている証拠として、「東日本大震災の被災者の方々が、被災された立場であるにもかかわらず、『我慢』『忍耐』『礼節』という美しい心を見せていただいたこと」を挙げる。この懇談会は来たる五輪を文化発信の最大の場と見据えた上で始まったわけだが、招致運動では「福島とは離れている。東京は安全だ」（招致委員会・竹田恒和理事長）と冷たく突き放していた被災地は、いつの間にかこうして闇雲に有効活用されていく。あの動乱の中をなんとか生き抜いた人たちの姿勢を「美しい心」でまとめあげて礼賛する心意気はどれだけ美しかっただろうか。

彼の考える「日本の美」の取り組みの柱は二つ。ひとつは、日本博を世界の主要都市で開催すること。ここでもまた縄文土器の例示から始まるが、茶室、日本庭園、歌舞伎、和紙づくり、流鏑馬といった例示も合わされば、無難な施策ではある。もうひとつが「日本映画の世界市場開拓」。これまた無難だが、その具体的な提案にいよいよ仰け反る。「第一作目として、例えば、『天孫降臨』などをアニメでつくるなどしてはどうか」と言うのである。

天孫降臨は、アマテラスオオミカミの孫であるニニギノミコトが、地上に降り立つという話（簡略化しすぎだが）。つまり、この国を神が作ったとする神話を、今改めて「日本の美」を打ち立てる文化の象徴として制作しようと思い立ったのだ。第二回の会合でも津川は「『天孫降臨』をアニメ化する。日本の神話を小中学生に、世界の子供たちに、まるで我々がかつて見た孫悟空のように、『天孫降臨』を面白く見せたい」と再び強調した。懇談会の委員である作家・林真理子や染色家・森口邦彦は、この「天孫降臨」のアニメ化について、それぞれ「少し違和感を持った」（林）、「再考を要すると思う」（森口）と、ごく当たり前の異論を表明していた。

文化とは何か、美とは何かを明文化することは難しい。かといって、限られた人のフィーリングに委ねてしまうのも危うい。委員に名を連ねる演出家・串田和美が「文化というものは、観念的なものではなく、遺伝子とか、血の中で思うものなのではないか」としているのは穏かではない。血の中で思うって何それ。血の中を思う方法から学びたい。NPO法人J-Win理事長の内永ゆか子が「日本人が、これら（日本の美・引用者注）をしっかり語れるかというとなかなかうまく語れない。そこで、宣教師が、それぞれの国の生活の中に入ってキリスト教を広めたように、文化においても、草の根の中での普及活動を行う宣教師的なエバンジェリストの仕組みを考えてみてはどうか。等級を幾つか決め、ある程度認定するなど、見える化する」と発していることを知れば、どうやらこの人たちは、本気と書いて「マジ」と読む取り組みとして、縄文時代から繋がる日本人の血を「天孫降臨」のアニメ化で見せつけようと画策していたことがわかる。

なぜ彼らは、文化の輸出や拡散方法を練り上げようとする際、培ってきた文化の変遷を丁寧に見渡すのではなく、とにもかくにも日本人の心を問うて、ピンポイントで好みの周辺を引っ張り出し、「神」や「血」等々で塗りたくろうとするのだろう。一九九八年の長野五輪開会式で卑弥呼のコスプレをした伊藤みどりが聖火台に点火した記憶を甦らそうではないか。当時はまだ実家暮らしの高校生だったが、一家団欒の場に特段の冷気が入り込んだことを覚えている。なんだこれは、こんなものを世界の皆さんに届けていいのだろうか、と各々がため息を漏らした。あのため息の共有を忘れてはいけない。卑弥呼は悪くない、伊藤みどりも悪くない。卑弥呼のような恰好を伊藤みどりにさせるという選択肢を投じた人、ハンコを押した人が、あの冷気を作り出した。この「日本の美」はコスプレを越えようとしている。なんたって精神性が色濃く加わっている。

懇談会の議事次第では当日配布された資料を確認することもできるが、そこには「伝統文化の尊重に関する規定」の例示として、二〇〇六年の教育基本法改正で付け加えられた一文、「伝統と文化を尊重し、それらをはぐくんできた我が国と郷土を愛する」態度を養うがアンダーラインを引いて強調された上で掲載されている。伝統文化が目指すところとは「国と郷土を愛する」態度なのだ。とにかく、優先順位の上位にはそれがある。

最近でこそようやく限られたメディアが取り上げるようになったが、憲法改正を目指す保守団体「日本会議」は、長いこと政権の中枢に染み渡っている。「日本会議国会議員懇談会」には、副会長に安倍晋三首相、特別顧問に麻生太郎元首相が名を連ね、現職の閣僚も含む二八〇名もの議員が参加している（二〇一五年時点）。

二〇一五年一一月、日本会議の提携団体「美しい日本の憲法をつくる国民の会」が日本武道館で「一万人大会」を開くと知り、一般参加枠で応募、出席したことを思い出す。会の後半、彼らが作った、憲法改正を訴えるための啓発映画の予告編が特別上映された。製作総指揮は作家・百田尚樹。数々のコピペが指摘された『日本国紀』の著者で、そのコピペについて、「いくつかのミスはあり、版を重ねる時に修正しました。どこかの時点で、どこを修正したか発表しないといけないと思っています」（朝日新聞・二〇一九年五月二二日朝刊）と述べたまま放置している人だ。その彼による映像の中で、現憲法は「日本を守るどころか、日本を滅ぼしかねない危険すら持っています」「日本を狙う国々にとって実に都合の良いものになっている今の憲法、その危険性を多くの人に伝えたい」とのナレーションを担当したのは誰だったか。津川雅彦である。

「日本の美」懇談会に参加している茶道裏千家前家元・千玄室は日本会議の設立一〇周年に併せて「戦後、はき違えた民主主義のあり方が、愛国心や道徳心というものをどこかへ棚上げさせ」「近年、誰もが国際問題の権威者の如く知ったかぶりをし、色々な考え方を撒き散らしています」と、なんだかこう、ちょっとお茶でも飲んで心を落ち着けたほうがいいのではないかと思う乱暴なコメントを寄せている。

日本の文化の価値をいかにして最大化させるかを五輪のタイミングに合わせて考えるのは有用だとは思う。しかしながら、彼らに「日本の美」を委ねてよかったのだろうか。

どうせやるなら派

出版社・河出書房新社の社屋は国立競技場のすぐそばにあるが、社が持つ複数のTwitterアカウントのうち、翻訳課（@kawade_honyaku）のアカウントが、「＃河出書房新社から眺める新国立競技場はぼ毎日更新」とのハッシュタグで、急ピッチで建設が進む新国立競技場の模様を知らせてくれる。ビルの上階から見下ろすように撮られた写真が、ニョキニョキ伸びるクレーンを捉える。その規模に圧倒されるものの、新国立競技場建設の模様は、どうせ、複数のオフィシャルカメラがいい感じに記録しているだろうから、完成した後には、自慢げな早回し映像を飽きるほど見させられることになるはず。

この翻訳課のツイートが見逃せないのは、新国立競技場だけではなく、新競技場建設のために住民を追い出した、国立に隣接していた都営霞ヶ丘アパート解体の模様とその後を捉えているところ。後述するが、この取り壊しについては、国も東京都もＪＳＣ（日本スポーツ振興センター）もわざわざ触れられたくない事案である。オフィシャルカメラがアンオフィシャルとするに違いない場所を、定点観測で捉えている。その写真には「＃草間クレーン」とのハッシュタグが追加されているのだが、そういう名のクレーンがあるわけではなく、アパートを壊すショベルカーがピンクに水玉柄で草間彌生の作品みたいだから、との理由らしい。アパートを壊す草間クレーンの様子が、二〇二〇年五輪の公式素材の云々に盛り込まれることはない。なぜって、アパートが壊された跡地の奥にそびえ立つのが、ＪＯＣなどスポーツ関連団体が入る予定の新しいビルだから。

都営アパートが建設されたのは一九六〇年代、半世紀前のオリンピックにあわせて整備された。半世紀もここで暮らし続けてきた住民がいるわけだが、二〇一二年七月、東京都は住民に対し、二〇一九年ラグビーW杯招致に向けて国立競技場を新設するのでアパートを取り壊す、と通知した。なかなか信じ難いことにその通知方法はＡ４の紙ペラ一枚。来月、近所で夏祭りがありますのでよろしければ是非、くらいのテンションで退去命令を下したのだ。年季の入ったアパートではあるが、取り壊しは不意打ち。通知を行った年の「二月から三月にかけては、コンクリートの劣化調査が行われ、東京都の都市整備局は『問題なし』と霞ヶ丘アパートの自治会に伝えている。同年七月一日には、都市整備局による営繕工事説明会さえ行われて」いたという（稲葉奈々子「都市の高齢者から奪われた『ふるさと』」『世界』二〇一七年七月号）。つまり、だまし討ちだった。いい感じの転居先を用意するからそれでいいでしょ、という措置。何十年もかけて築き上げてきたコミュニティを粉砕する権限がどこの誰にあるのだろう。

住民有志が立ち上がり、二〇一五年六月には東京都に対してこのような要望書を出している。「私たちは移転の可否について、都から一度も相談を受けていません。住民の気持ちを顧みない東京都の手続きからは、私たちがひとりの『人として』尊重されていると感じることはできません」

「私たちの転居を、あたかも『モノ』を移し替えるかのように扱う東京都の態度に、私たちは深く傷つけられました」

切実な訴えだ。新競技場建設費高騰による白紙撤回、そして解体工事の不可解な入札など、状況が一変する度に、周辺住民が置いてけぼりにされた。繰り返し行われた住民説明会に出向くと、紛糾する反対住民の声に一切耳を傾けようとしないJSCの幹部たちの姿が見えた。今から振り返れば、伝書鳩に徹していた彼らが、自分たちの主語で何かしらを語れるはずがなかったのだ。

ところでなぜ住民説明会にキミが、と思われるかもしれない。私は二〇一四年夏まで河出書房新社に勤めていた。というわけで、地域住民の一人として、説明会に入り込めたのである。

新国立競技場の建設によって、その存在自体がなくなってしまったのが明治公園。会社の前にあった公園は、メーデーの集会やデモの終着点として活用されていた。公園から聞こえるスピーチは休日出勤のBGMにもなったが、何よりも印象に残るのは、東日本大震災直後のこと。避難場所に指定されていた公園には、霞ヶ丘アパートの住民と思しき老人たちが寄り添うように集まっていた。周囲にはアパレルやデザイン関連のオフィスが多く、日頃、街行く人は若い世代が中心だったので、近くにこれほど多くの高齢者が住んでいたのかと驚いた。アパート内には小さな商店街があり、先述の稲葉が「ふるさと」と形容したように、外から見えずとも密接なコミュニティが出来上がっていたのだ。さほど外へ出なくても、その中で生活が成立していた。

地域住民だった利点を活かしつつ、その後も取材を重ねて、『世界』(二〇一五年九月号)に「ただ解体が進んだ国立競技場──予測された混迷」としてまとめたが、解体工事が始まった後に、ベランダや窓につく砂汚れに悩まされたマンション住民への取材も行った。大型ダンプカーの「左に曲がります、左に曲がります」との連呼がめざましがわりになったマンション住民。その汚れについての説明を求めるため、住民がJSCに連絡してみたところ、担当者からなんと言われたか。

「その粉塵が国立のものだと証明してほしい」

五輪が生む力関係を象徴している。国家プロジェクトの強引な運営が、個々人の暮らしを奪う構図として、こんなに分かりやすい事例もあるまい。国立解体後から舞い始めた粉塵を、国立のものだと証明せよ、というのである。紙ペラ一枚で住民たちを追い出す姿勢が続いている。「#河出書房新社から眺める新国立競技場ほぼ毎日更新」に写し出される霞ヶ丘アパートの姿、「草間クレーン」の活躍は、その強引な運営が表出していた。

小笠原博毅・山本敦久編著『反東京オリンピック宣言』(航思社)は、山積する問題を忘却させながら突き進む東京五輪に対し、明確に「開催を返上・中止せよ!!」と力強く宣言する好著だ。編著者の小笠原による「反東京オリンピック宣言──あとがきにかえて」に、これだけの問題をそのままにして五輪が「成功」に持ち込まれるのだとすれば、そこへ貢献するのは『手放し礼賛』派でも『困難を乗り越え頑張れ』派でもなく、『どうせやるなら』派とでも言えるような人々」だとある。「どうせやるなら派」というのは実に的を射たネーミング。建設費高騰であれだけ紛糾し、内閣支持率にも響いた世論もどこへやら、小池都知事が〝劇場〟の舞台を国立から豊洲に移してからは、国立周辺の暴力じみた行為への興味もすっかり失われてしまった。東京新聞・二〇一七年七月四日夕刊に前出の小笠原のインタビューを中心とした記事が掲載されており、そこに記されていた事実に呆れた。

「『反東京オリンピック宣言』はもともと、ある人文系月刊誌の特集として企画された。ところが寄稿者への執筆依頼を始めた後になって、経営陣から一方的にボツにされた」

人文系月刊誌の具体名は明かされていないが、その候補は絞られる。五輪を真っ向から反対する行為が咎められる、これぞまさしく世の中の多くが「どうせやるなら派」になった証左である。読売新聞、朝日新聞、日本経済新聞、毎日新聞の四社は東京五輪のオフィシャルパートナー契約を結んでいる。諸問題を根っこから問い直す声は、大きなメディアには望めない。

残業時間の上限規制の議論から建設業が外されるとの話が出たが、その理由は「労働時間の単純な短縮は五輪関連や災害復旧工事の工期に影響しかねない」（日本経済新聞・二〇一七年三月一八日）というもの。新国立競技場の地盤工事の施工管理を担当していた男性が失踪した末に自殺したことを忘れてはならない。失踪する前の月の、彼の残業時間は二〇〇時間を超えていた。命より工期が優先されたのだ。同じ現場で働いていた建設作業員は、「朝決まっていたことが何時間かすると突然変わって、それに対応するために、いろいろなことが発生して。尋常じゃない。そうそうこんなひどい現場には出会わないよねという状況」（TBS NEWS・二〇一七年七月二三日）と語っている。とにかく急ピッチの建設になったことによって失われた命がいたましい。

地域のコミュニティをぶっ壊し、人間をぶっ壊す。うっかり、大規模な建築工事の壮大さに見入り、「どうせやるなら派」の仲間入りをしてしまいそうになるが、それではいけない。「#河出書房新社から眺める新国立競技場ほぼ毎日更新」には、その痕跡が残っている。

「便乗するな」に便乗するな

それにしても、桜田義孝五輪担当相の言動には何度だって驚かされる。競泳・池江璃花子選手が白血病を公表したことを受けて記者団に述べた「日本が本当に期待している選手なので、がっかりしている」「（五輪の）盛り上がりが若干、下火にならないか心配している」との発言が全文を読んだ上でも問題なのはもちろんのこと、この件に関連して、国際オリンピック委員会（IOC）が定める五輪の基本原則「五輪憲章」について問われた桜田が、「話には聞いているが、自分では読んでいない」（衆議院予算委員会・二〇一九年二月一三日）と言い切った金メダル級の清々しさには、ひとまず呆然とするしかない。

その翌日に桜田は「読んできた」と述べながら、議会の場で五輪憲章の冊子をパラパラめくるというサービスショットを撮らせた。裁判官が「最近、六法全書を読み始めました。えっと、それでは判決です。懲役五年でどうでしょう」と言い張っているのと遠くない状態だが、以前にも、東京五輪の大会ビジョンや三つの基本コンセプトを聞かれ、ちっとも答えられずに動揺した桜田は、「事前通告がなかった」ので答えられなかった、という言い訳で逃げていた。

桜田は、五輪なんてマジでどうでもいい、と思っているようで、そんな人を五輪担当相に置き続けている判断にたじろぐのだが、もしかしたら、五輪なんてマジでどうでもいい、という点においてのみ、彼と自分は同じ意見を持っているのかもしれない。

五輪憲章を最近読み始めた大臣にご理解いただくのはだいぶ早いかもしれないが、五輪が開催される度に「アンブッシュ・マーケティング（便乗商法）」を規制する勢いが強まってきている。IOCが使用しているアンブッシュ・マーケティングの最新の定義がIOC「HOST CITY CONTRACT: XXIV OLYMPIC WINTER GAMES IN 2022」にある。

「アンブッシュ・マーケティングとは、意図的か意図的でないかを問わず、不正に、または無許可に、オリンピック・ムーブメントやオリンピック競技大会に対し商業的な関連付け（直接的か間接的かを問わない）を試みるあらゆる行為である。特に、無関係者による、オリンピック競技大会との関連を誤解させるような創造的取り組み、オリンピック表現を保護する法律に対する侵害行為、オリンピックのスポンサー、サプライヤー、ライセンシーの正当なマーケティング活動を妨げる行為を含むと解釈される」

この邦訳は、友利昴『オリンピックvs便乗商法　まやかしの知的財産に忖度する社会への警鐘』（作品社）からの引用だが、アンブッシュ・マーケティングに対して強まる規制への疑いを持ち続ける稀有な一冊から、視点を切り替える必要を学ぶ。

日本オリンピック委員会（ＪＯＣ）がウェブサイトで警告している「オリンピック等の知的財産の保護について」のページには「オリンピックイメージ等を無断使用した便乗広告にご注意ください！」との文言があるが、これに対して友利は「よくよく考えてみると、いったい何にどう注意しろというのだろうか。仮にオリンピックのスポンサーではない企業が、オリンピックをイメージさせるイラストや文言を使って広告を行ったとしても、消費者には何の危険も不利益も発生しない」とある。私たちの多くは、スポンサー側ではなく消費者である。ならば、消費者の目線を保ちながら考える必要があるだろう。国民全体でパトロールをしましょうという、運営側・スポンサー側の誘導に乗っかる必要なんて、まったくない。

ＪＯＣの同ページには「ＪＯＣマーケティングに協賛している『ふり』は、許されません！」と宣言されているが、友利は、警告する主体者側なのだから「（ＪＯＣは）許しません！」でいいのではないか、「ここで敢えて受動態を採用することの狙いとは、主語を曖昧にすることで、まるでアンブッシュ・マーケティングを許容しないことが社会全体のコンセンサスを得ているかのような錯覚を引き起こ」している、と指摘する。従っておかないとヤバいことになるらしいぜ、という適当なムードを浸透させるのは、儲けを最大化させるためである。ただそれだけの話だ。私たちから率先して、便乗商法への警戒に乗っかる必要などないはずである。

友利の本にある元ＩＯＣのマイケル・ペインの発言を拾えば、ＩＯＣは、開催を希望する国に対して「すべてのオリンピックのマークやシンボルなどを保護する特別措置法や、アンブッシュマーケティングを制限するために法案を通過させるように要求します」とのことだが、先日、IOCが二〇一七年に商標登録を出願していた「五輪」が認められた。そもそも、「一九三六年に新聞記者が記事の見出しを短縮するために考案し、各新聞が使い始めて定着した」(東京新聞・二〇一九年二月二一日夕刊)にすぎなかった俗称だが、これによって独占的に使用されることとなる。

管理したい言葉は「五輪」にとどまらない。2020年東京五輪の「大会ブランド保護基準」には、「大会名称等の各種用語も知的財産であり保護の対象となるため、自由に使用することはできません」とあり、「東京2020オリンピック競技大会」といった大会通称だけではなく、「その他の用語(例)」として、「より速く、より高く、より強く」「聖火」「がんばれ!ニッポン!」などが挙げられ、アンブッシュ・マーケティングととられる場合がある例として、「Tokyo2020●●●●●●●」「●●●リンピック」「祝!東京五輪開催」「2020スポーツの祭典」「目指せ金メダル」「ロンドン、リオそして東京へ」「2020へカウントダウン」が挙げられている。

たとえば飲食店の開店を知らせるプレスリリースで「2020年のオリンピック・パラリンピックの選手村の建設が予定される豊洲エリアに○○店が新規オープン」と謳うことも禁じられる。これまでも、リオデジャネイロ五輪が開催中に発行されたタウン誌では、「4年に一度の祭典を楽しもう!! ブラジル&スポーツを渋谷で体験!」「開催地、ブラジルの熱を体感できる街といえば渋谷！」などという回りくどい見出しや文章が掲載されてきた。こうやって、ＪＯＣから何かを言われないようにする婉曲表現って、五輪全体への関心をむしろ下げるのではないかと思う。

気に食わないのは、この商標登録に合わせて、新聞各紙が「不正便乗商法の恐れがある例」として、大会組織委員会や日本広告審査機構から例示された一覧をそのままリストにして掲載し、あたかも、これらの文言がたちまち使用禁止となるような印象を持たせる紙面づくりをしたことである。大会組織委員会は「個人の応援や商店街の機運醸成に使うことは問題視しない」「盛り上げを意図した使い方であれば問題視しない」（前出・東京新聞）としているものの、冬季五輪ではすでに、選手が所属する企業が、同僚や地域住民を招いて開こうとしたパブリック・ビューイングに対して、ＪＯＣがアンブッシュ・マーケティングにあたるとの見解を発表している。

女子スピードスケートで金メダルを獲得した小平奈緒選手が所属する相沢病院では、地域住民の参加を断り、院内の職員だけで開催、その模様のＳＮＳ投稿を禁じるとの措置までとられたという。とりわけ冬季五輪の選手に顕著だが、日頃、注目を浴びにくいスポーツ選手の場合、その競技のトップアスリートであろうとも、潤沢な資金やしっかりとしたサポート体制が築かれておらず、競技を続けていくのも精一杯……という苦労話が流れる。オリンピックがそのスポーツの魅力や、日頃支えている企業を認知させる機会となったとしてもなんら問題はないのではないかと思うのだが、そんなものはオフィシャルスポンサーの儲けを減らすから大問題、というのが運営側の見解なのである。

オリンピックを運営する人々が、開催によって、儲けを最大化させたいと考えるのは当然のことではある。こちらは「あいつら金儲けしか考えてない」との意見を繰り返し投げてきたし、始まっても終わっても繰り返し投げ続けようと思っているが、金儲けを考えるのは別に悪いことではない。言われ慣れているだろう。

それより、あれもこれも規制するかもしれませんよ、という勢いに対して、すっかり素直に身を縮こまらせてしまう報道や個人のあり方がひっかかる。あれこれを使いづらくしておくのが運営側のやり方だが、私たちはそれにそのまま従う必要なんてない。「便乗するな」に便乗する必要はない。せめぎ合いがあっていい。あっけらかんと「2020円飲み放題!」なんて宣言する飲み屋が出てきたら、日頃は飲まないが、いそいそと出かけたい。当たり前のマーケティングだ。

「復興五輪」の使われ方

身の潔白を主張しながら会長から退き、質問には一切答えない、というアクロバティックな大技を披露した日本オリンピック委員会(JOC)の竹田恒和には「栄光の架橋」なんて言葉も似合うのかも知れないが、彼に対する物言いとしてもっとも強烈な批判は、産経新聞（二〇一九年三月二〇日）の「あるスポーツ関係者は『竹田さんはよくも悪くも何もしない人』と語る」という、ちょっとした談話であった。

今、あちこちで使われる「よくも悪くも」という言葉は、その後に続く内容に「悪くも」が含まれますよ、どっちかっていうとそっちがメインですよ、という宣告に等しいが、どんな時も「よくも」の成分がわずかながらに含まれるもの。しかし、このスポーツ関係者からの「何もしない人」については、「よくも」が一切含まれていない。

二〇二〇年東京オリンピック・パラリンピック招致を巡って、招致委員会がシンガポールのコンサルタント会社「ブラック・タイディングス」の口座に振り込んだ約二三〇万ドル（約二億三〇〇〇万円）について、その一部が、IOC委員だったラミン・ディアク前国際陸上競技連盟会長の息子、パパマッサタに流れたとしてフランス当局が捜査している。フランス当局が竹田を容疑者に捜査を開始したとの報道も出た。

その後、竹田は、質疑を一切受け付けない、たった七分で終えた記者会見の中で、「担当者が稟議書を起案し、上司が順次、承認した上で、理事長だった私に押印を求めた。私自身はいかなる意思決定プロセスにも関与していない」と述べた。これぞ、「何もしない人」の真骨頂である。億単位の金を動かす稟議書にハンコを押した上で、意思決定プロセスに関与していないと言い切る力業には何がしかのメダルの授与が必要だが、そういえば、東京五輪で使用されるメダル製作は、使用済み携帯電話等の小型家電を持ち寄り、「日本全国の国民が参加してメダル製作を行う国民参画形式により実施」（Ｔｏｋｙｏ２０２０ウェブサイト）することになっており、これは「東京２０２０参画プログラム」の一環として、「東京２０２０大会に向けたオリンピック・パラリンピックの機運醸成と、その先のレガシー創出」のために行われている。

偉い人が書類にハンコを押す行為を意思決定と呼ぶが、何もしない人と囁かれている人は、ハンコを押した上で、ええ、私は何も関与していませんからね、と力強く宣言した。なんだか、五輪への機運醸成に孤軍で抗っているようにすら思えてくる。

そのくせ、会見の後は国際会議を欠席し、ＩＯＣ委員としての活動にも支障が出ていた。フランスのルモンド紙によれば、今回の竹田外しのきっかけになったのは、ＩＯＣのバッハ会長が竹田の隣に並ぶのを拒否したことだったとあり、修学旅行の集合写真の撮影時に起きがちな話のようだが、竹田に対して、「『今までの経験を生かしていただくことが２０２０年東京五輪の成功に不可欠だと思います』。１９８８年ソウル五輪のシンクロナイズド・スイミング銅メダリストの小谷実可子さんは涙ながらに、名誉会長への就任を提案した」（朝日新聞・二〇一九年三月二〇日朝刊）との記載を読めば、そのたとえは大げさではなくなってしまう。

ＪＯＣ内では、「選任時七〇歳未満」という役員の定年規定を改めてでも東京五輪を竹田体制で迎える準備を進めていた。しかし、五輪を取り仕切るトップから隣に並びたくないと避けられたことによって、組織の中から、じゃあもう、この人では難しい、との意見が出始める。「よくも悪くも何もしない人」の立場がなくなる。自分は何もしていないと潔白を訴えていた人が、何もしない人だから、との談話とともに去った。

名誉会長職に就かなくとも、竹田およびJOCはブラック・タイディングス社とのやりとりを事細かに明らかにする必要がある。なぜその会社の招致実績を評価したのか。弁護士の郷原信郎が記すように、「国会（平成28年5月16日衆院予算委員会）では『ブラック・タイディングス』社の活動報告書の所在についての質問に、『関係書類は、法人清算人で招致委員会元専務理事の水野正人氏が確実に保管している』と答弁していた。その後、調査委員会の報告書では招致関係書類は『全て破棄された』とされているが、書類は、いつ廃棄したのか」（「竹田会長『辞任』だけでは〝東京五輪招致疑惑〟は晴れない」Yahoo! ニュース個人・二〇一九年三月一九日）についても答える必要がある。とにかく、まだ何も明らかになっていない。使途不明金があるのが五輪の通例だからといちいち追及してもしかたないといったエキスパートぶった外からの声も飛び交うが、彼らがずっと繰り返してくる「機運醸成」なる雰囲気重視のフレーズを使いづらくしているのが、機運を低める張本人たちであるという矛盾は放置されっぱなしだ。

東日本大震災から八年が経過するのに合わせてNHKがおこなった被災地（岩手・宮城・福島）に住む人たちへのアンケートでは、「復興五輪」との言い方が復興の後押しになるかどうかとの問いに、約六割が「後押しにならない」と答えた。後押しになると考えている人は、「そう思う」の二・八％と「ややそう思う」の一一・五％を合わせたわずか一四・三％しかいない。要するに、それどころじゃないのだ。復興五輪を謳う国の理念は「被災地の復興を後押しするとともに、復興に向かいつつある被災地の姿を世界に発信する」だが、そう思わないと回答した理由を複数回答で尋ねると、「『復興五輪』は誘致名目にすぎない」「経済効果に期待が持てない」「復興のための工事が遅れる」を、五割以上の人が理由としてあげた。

誘致名目にすぎず、期待が持てず、復興が遅れる。それでもまだ復興五輪を、ただひたすら叫び続ける。聖火リレーを被災地から始めるという措置を「復興五輪」の目玉に据える大会組織委員会は、聖火リレーの開始場所を福島県沿岸部のスポーツ施設「Jヴィレッジ」に決めた。大会組織委員会の森喜朗会長が「スポーツの力で震災復興に貢献することは、大会の源流。被災地の方は多くのご苦労をされている。復興を願うと同時に、今後も支援をしていきたい」と語ったが、Jヴィレッジといえば、東日本大震災後の東京電力・福島原発事故の対応拠点になった場所。「（福島原発の）状況はアンダーコントロールされている」と安倍首相がホラを吹き、竹田会長が「福島は東京から二五〇キロ離れており、皆さんが想像する危険性は東京にない」と語り、五輪を東京に呼び寄せたが、今、福島原発は、溜まっていく汚染水の処理の問題を抱えており、タンクにたまった汚染水は一〇〇万トンに達し、近いうちに東京電力が計画する敷地内の保管容量の上限に達する。処分方法を考えあぐねている国と東電の右往左往を見れば、地元住民は当然、海洋への放出を恐れるわけだが、この状況と、「アンダーコントロール」という宣言や、復興の象徴としてのJヴィレッジからの聖火リレーは相容れない。相容れない時に、どっちの印象を薄めにかかるかと言えば、汚染水のほうなのである。

復興庁が『『復興五輪』に向けた取組　2020年東京オリンピック・パラリンピック競技大会に向けた最近の取組』なる資料を公表しているが、どういった取組で「復興五輪」をアピールしようとしているかを確認すれば、聖火リレーの被災地からの出発、被災地での競技開催の他に、開会式・閉会式で「復興」を演出テーマの一つに位置付ける、新国立競技場のエントランスゲートの軒に東日本大震災の被災三県の木材を使用する、といったもの。資料にはないが、聖火リレーのトーチが発表され、素材のアルミニウムの三割を仮設住宅の廃材で作ったことが特徴として加えられた。

大きなプロジェクトである五輪をひとつひとつ動かしていくときに、「で、これ、何かしら復興と絡められないかな？」という後出しのこじつけが重ねられる。怪しい金儲けを隠蔽するコーティングとして「復興」が使われている。

復興五輪、という四字熟語がおかしい。復興を考えるなら五輪を開催すべきではない。五輪を開催すれば復興はないがしろにされる。このいずれかになるのを避けるため、復興五輪などとくっつけて語る。何があろうとも、その時々の為政者が「成功しました！」と言い張れるのが、五輪ほどの規模の催事の特徴。今回は「復興」という言葉で、二週間程度の宴が強引に「成功した！」との結論に持ち込まれるのだろう。復興五輪によって復興が遅れる非道さを、エントランスゲートやトーチを見ながら思い起こすことになるのだろうか。

それもうダメだよ

共著を出した又吉直樹と、ただひたすら雑談が続くだけのトークイベントを開いた時の話。渋谷のスクランブル交差点でぶつかってくるのは野球部出身で、巧みに避けてくるのはサッカー部出身ではないかという話になった。無論、何のデータにも基づかない偏見なのだが、たとえば長打を放った野球部員は、最短距離で二塁や三塁を目指す。一方、サッカー部員は、迫るディフェンダーを避けながらドリブルで抜いたり、パスの出しどころを探したりする。駅のほうから野球部員が、センター街のほうからサッカー部員が来たら、一直線に歩く人と、巧みに避ける人がくっきり分かれて面白いかもしれませんなどと、どうでもいい話を続けた。

熱狂の現場として渋谷スクランブル交差点はすっかり定着したが、元号が平成から令和に切り替わる日のNHKのラテ欄には「渋谷交差点熱狂生中継」とあった。その場が熱狂するかどうかなんて誰にもわからないはずだが、彼らにはあの交差点が熱狂に包まれることがわかっていたらしい。熱狂に備え、カメラを複数台スタンバイし、切り替わる瞬間に騒ぐ様子を撮る。騒ぐつもりで来た人、通りかかったらたまたまそのタイミングだったので騒いだ人、カメラに映り込まないようにそっと避けた人、その比率はわからないが、いずれにせよ、「熱狂をゲットしにいきます!」とカメラを担いで出かけた人たちは、どんな状況になろうとも熱狂を作り出す。なぜって、もうラテ欄に「熱狂生中継」と書いてあるから。熱狂がなければ、熱狂を作り出すしかない。

ハロウィーンの時期には、仮装した連中が集まり、酒を飲むなどして騒ぐことが問題視されている。半裸になってはしゃいでいた若者たちが軽トラックを横転させた映像が話題となった年もある。その若者たちは、渋谷じゅうに張り巡らされた監視カメラを横断した捜査によってたちまち検挙されたが、この事件の捜査には、渋谷署以外にも、本来、殺人などの凶悪事件を担当する捜査一課の捜査員まで投入された。

明らかにやりすぎた調査だ。その狙いについて、『週刊現代』(二〇一八年一二月二九日号)で警視庁関係者が「本部の捜査1課が乗り出すのは異例です。本来は渋谷署の刑事課で十分。一番の狙いは抑止効果を高めることですが、東京五輪の暴徒対策を兼ねたデモンストレーションと考えることもできます」と述べている。とにかく急いで捕まえねば、これは五輪に向けた点数稼ぎにもなると、自分たちの実績作りに活用した。

当然、渋谷周辺だけではなく、それぞれの帰宅経路を探るためには鉄道各社の乗降記録が必要になるが、鉄道会社は、警察からの要請に応じたかどうかすら明らかにしていない。「ハロウィーンで」×「酔っ払った若者が」×「軽トラをひっくり返した」、この事実はあまりに愚かで許されてはならないが、ここまで総力を挙げる事件だったとは思えない。注目されているようだからここは一気にあれこれ駆使して捕まえようぜ、というスムーズな連帯は危うくなかったか。その駆使は正当なものだったか。警察の捜査の手早さに素直に感心する声が多かったが、そもそもこの事案が、なぜここまで大規模な捜査になったのか、疑う視線も必要だったように思える。

渋谷区の対策検討会が、ハロウィーンをはじめとした、人が多く集まる期間のトラブル対策として、路上禁酒を条例化する中間報告を発表した。地元商店街や観光協会で構成される対策検討会がこれまで計七回開かれ、違反者に過料を科すか、これから検討していくのだという。

当然、そんな日の渋谷には行かないし、そもそもお酒も飲まないのだが、この条例を受けて、多くの人たちが賛同していることにはたじろぐ。公権力が個人の振る舞いを制限することに警戒心を持たないのは、さらりと通った特定秘密保護法や共謀罪での煮え切らない議論で体感してきたことだが、ほら、軽トラひっくり返した人たちいたじゃん、あと、ゴミとか、大変なんですよ、あの日。だから、お酒とか、やめにしませんか、という申し出に、「うんうん！」と頷く。

どうしてなのだろう。軽トラをひっくり返した人が悪い。ゴミの後始末を怠った人が悪い。浄化するために、思いつきのように個々人に制約を設けるのって、行政の行為として明らかに傲慢なのだが、なぜか了承してしまう。これも五輪に向けた制限の一つである。賑やかに騒ぐ人たちが、酒飲むな、と言われ、はい、と頷く。そんな個人と、制限する行政と、「渋谷交差点熱狂生中継」と書くメディアは相性がいい。この三者の相性がいい場合、もちろん、もっとも得をするのは行政である。メディアはそう知りながら書いているから罪が大きいが、個人はおそらくそこまで考えていない。

東京五輪の大会期間中、国や東京都が、首都高の通行料金を一〇〇〇円ほど値上げする案を出している。これに対して、国際オリンピック委員会調整委員会のジョン・コーツ委員長が「まずは一般の人々に迷惑を掛けない方法を検討すべきだ」（毎日新聞・二〇一九年五月二三日朝刊）と、むしろ慎重になりましょうと呼びかけた。首都高値上げという目に見えやすいコスト高に批判の声があがるが、そもそも二〇一七年の段階で、大会総費用のうち、東京都が負担する金額は六〇〇〇億円と出ている。「この六〇〇〇億円を二〇一八年五月時点での納税世帯数約六六九万で割ってみると、一世帯当たりおおよそ九万円の負担になる」「たった『二週間』の祭典のために包むお金であるとしたら、かなりの高額」（小笠原博毅・山本敦久『やっぱりいらない東京オリンピック』岩波ブックレット）とある。ネット注文控えろ、家で仕事しろ、九万円もらうぞ、高速乗るなら一〇〇〇円上乗せ、で、あと、路上で酒飲むな、などが加わってくる。まだまだ増える。次々と制約を設けてくるのに、なぜ馴化してしまうのか。渋谷の路上で酒を飲んだことはないが、わざわざ飲みたくなってくる。

悪いことをした人を捕まえるために、悪くない自分の情報を知られても仕方ない、という考え方はどこまでも広がっていく。実際には、お前ってヤツは悪いのか悪くないのか、の情報を明け渡すことになるのだが、絶対に悪いと思われない、と決め込んでいるらしい。

アメリカ・サンフランシスコ市議会で、警察などの公共機関が顔認証技術を使うことを禁じる条例案が可決した。その条例には「顔認証技術が、市民の権利や自由を侵すおそれのほうが、その技術から得られる恩恵よりも大きい」（朝日新聞デジタル・二〇一九年五月一六日）とあり、まだまだ「誤認が多く差別を助長する」という批判も根強いとある。黒人女性の数割を男性と識別してしまうなど、発展途上の段階にある。だが、不安定な技術であろうが一目散にすがっていく。どう自分が制限されるかわからないってのに、どうぞ制限してくださいと差し出すのである。身動きを制限され、盛り上がっている一部分を熱狂生中継する。なかなか統制された社会に思える。

日本ではさほど報じられなかったが、シンガポール政府が、インターネット上のプラットフォーム、チャットグループなどを監視できるようにするフェイクニュース禁止法を承認したという。政府は、オンラインプラットフォームに対して、「『公共の利益に反する』虚偽の情報と思われるコンテンツの削除と訂正文の掲載を命じることができる」（BBC NEWS・二〇一九年五月一〇日）とする。フェイクニュースが混乱の世を作り上げているのは事実だが、だからといって、「公共の利益に反する」のさじ加減、これはダメだろ、という判断基準を政府に委譲すれば、「ダメ」は縮小することなく、これもダメ、あれもダメと拡張していく。当然、その「ダメ」を規定し、その幅を広げるのが生業になってくる。

私はダメなことはしていません、あっ、いや、それももう、最近じゃダメなんだよ、という拡張。正しい人間が生きやすいようにします、だから、ボクたちが正しくない人間を捕まえます、という姿勢を認めすぎると、正しいことをしているようには見えるけど、正しくないかもしれないからと、侵入される人間を増やす。侵入を拒むと、いつの間にか、あいつは侵入すべき人だと思われるようになる。これは来たる東京五輪に向けて強まっていく。開催されようがされまいが、この強化は進んでいく。

先日、ある大学でのシンポジウムに出席するために事務手続きのメールをやり取りしていると、大学での登録作業のためにマイナンバーの提出が必須と言われた。こちとら、マイナンバーそのものに懐疑的なので、今のところ、関係書類は全て破棄しており、「マイナンバーカードありません、番号も知りません」と伝えると、身分証明書のコピーを複数持ってくるように言われた。その日のテーマがなんだったか。大枠でいえば、個人が個人として自由に生きるために、といったテーマなのだから、笑うに笑えなかった。

主体的に関わって

二〇二一年度から「大学入学共通テスト」に切り替わるため、二〇二〇年に最後となった「大学入試センター試験」。その「現代社会」の問題文に驚いた。

冒頭から登場したのが、東京オリンピックへの取り組み方を指南するかのような会話。「大学生の友達同士」の会話が五往復も続き、会話のあちこちにアンダーラインが引かれ、その語句から派生する問いが出題されている。しかし、その問いは東京オリンピックとはなんら関係がない。ただただ東京オリンピックをポジティブに受け止める会話文を、数多くの若者たちに熟読させたのだ。しかもそこには、いくつもの事実誤認や飛躍・誇張が含まれていた。大学入試の設問なのに、正しくない内容だったのだ。

順番に指摘していこう。大学生AとBの会話はこう始まる。

「A：今年開催される東京オリンピック・パラリンピックは、既存施設の利用や、CO_2排出を抑制した運営など、環境への配慮をうたっているみたいだね」

いや、そうも言い切れない。今、新国立競技場が紹介されるにあたり、四七都道府県すべての木材を軒や庇に使用していることが自信満々に持ち出される。だが実際には、型枠については、マレーシアやインドネシアの熱帯林を伐採した合板が使用されている。東南アジアの熱帯雨林を痛めつけており、現地では反対の声もあがった。こんなに「環境への配慮」から逆行することもない。

完成した国立競技場を見て、コストの面から屋根が整備されていないことを指摘しつつ、当初のザハ・ハディド案で良かったのではないかとする声もあがったが、そもそも、旧国立競技場って、あのまま使えたってことを忘れてはいけない。一九九九年、IOCが採択した「オリンピックムーブメンツ アジェンダ21」には、明確に「既存の競技施設をできる限り最大限活用し、これを良好な状態に保ち、安全性を高めながらこれを確立し、環境への影響を弱める努力をしなければならない。既存施設を修理しても使用できない場合に限り、新しくスポーツ施設を建造することができる」（傍点引用者）と書かれている。

実は、二〇一〇年度の段階で、国立競技場の耐震改修基本計画が用意されていた。そう、国立競技場は壊すつもりなんてなかったのだ。JSC（日本スポーツ振興センター）に「国立競技場の耐震等について、久米設計に委託した調査（二〇一〇年度）の結果がわかる文書」を情報公開請求すると、その基本計画を手にできたのは、解体工事の着手後だった（渥美昌純「東京五輪と神宮『再開発』」／天野恵一・鵜飼哲編『で、オリンピックやめませんか？』亜紀書房）。あのまま使えたのに壊したのではないか。改修するだけで八万人の観客席を確保できるとの試算が出ており、「行政が建て直しの理由に挙げる老朽化とか、時間がないとかいうのは、建物を壊すための常とう句」（古市徹雄千葉工大教授・東京新聞・二〇一三年一一月二六日朝刊）にすぎなかった。

オリンピックの陸上競技の開催には、選手がウォーミングアップするためのサブトラックが必要になるが、改修案では競技場の地下に常設のサブトラックが作られる予定になっていた。新国立競技場にサブトラックはなく、オリンピック・パラリンピック期間中は、聖徳記念絵画館近くの軟式野球場に仮設のサブトラックを設置して対応するが、終了後には原状回復した上で撤去されてしまう。つまり、オリンピック以降は大規模の陸上大会が開けなくなってしまうかもしれない。

国立競技場の隣にあった明治公園を潰し、そのそばにあった霞ヶ丘アパートから住民を追い出し、神宮外苑周辺に設けられていた建築物の高さ制限を取っ払って、JOCなどが入る高層ビルが建った。で、出来上がった競技場を「自然と調和した杜のスタジアム」と謳っている。この点からも「既存施設の利用」「環境への配慮をうたっている」とは言えない。試験中であろうが、内容が間違っているのだから、「先生、この問題文に事実誤認、少なくとも誇張があります！」と挙手したいところである。

大学生AとBのやりとりが続くなか、Bが苦言を呈する。

「B：ただ、開催のための多額の費用負担は課題だよね。東京都と国や他の自治体との間で、負担額をめぐる対立があったし、費用の使い方について裁判にならないのかなあ。大会ボランティアをめぐっても議論があったし」

まず問題にするべきは「費用の使い方」ではなく、費用の高騰である。負担額について揉めるのは、高騰した事実に対し、細かい分析がなされた後だろう。なんといっても招致した段階では「コンパクト五輪」を謳っていたのだ。都知事時代の猪瀬直樹のツイートには「誤解する人がいるので言う。2020東京五輪は神宮の国立競技場を改築するがほとんど40年前の五輪施設をそのまま使うので世界一カネのかからない五輪なのです」(二〇一二年七月二八日)と残っている。今、中枢で動かしている人たちは「誤解する人」たち、ということなのだろうか。

問題文の「費用負担」のところにアンダーラインⓕが引いてある。「問6 下線部ⓕに関して、日本の財政とその法制度に関する記述として最も適当なものを、次の①~④のうちから一つ選べ」という問いに対する正解は、「②租税法律主義によれば、新たに国税を課す場合には、事前に国会での議決が必要である」。このようにして、実際に解くべき問題は、オリンピックの費用負担とはなんら関係ない。

Bからの問題提起にAは乗っからない。「でも」と切り返して、こう続ける。

「A:でも、私は、東京オリンピック・パラリンピックを契機に社会が変革されて、暮らしや働き方に多様性が広がっていく楽しみの方が大きいなあ」

断言するけれど、五輪を経ても社会は変革されない。開催直前や開催中は変革されたような気がするかもしれない。それだけのことだ。暮らしや働き方に多様性は広がらない。むしろ、大会期間中から「暮らし」も「働き方」も制限される。家で仕事しろ、首都高速の値段を吊り上げるので乗りたい人はそのつもりで、毎年恒例の夏フェスも花火大会もできないけどヨロシクね、である。

二〇二〇年一月二〇日、安倍晋三首相の施政方針演説は、あたかもAの発言のような内容だった。

「オリンピック・パラリンピックを控え、未来への躍動感にあふれた今こそ、実行の時です。先送りでは、次の世代への責任を果たすことはできません」と言い、なぜかそれを改憲論議に飛躍させた。「国のかたちを語るもの。それは憲法です。未来に向かってどのような国を目指すのか。その案を示すのは、私たち国会議員の責任ではないでしょうか。新たな時代を迎えた今こそ、未来を見つめ、歴史的な使命を果たすため、憲法審査会の場で、共に、その責任を果たしていこうではありませんか」。なかなか意味が不明だ。すっかりAと気が合いそうである。Aに感化されたのか、Bがこう締めくくる。

「B：私たちも、運営組織や行政だけに任せないで、『お・も・て・な・し』の心を思い出して、今後の魅力的な都市づくりに主体的に関わっていきたいね」

いつのまにか「主体的に関わって」いくことになっている。オリンピックにまつわるあれこれに、私たちは関わってもいいし、関わらなくてもいい。関わりたい人だけが関わればいい。主体的になる必然性はどこにもない。

オリンピックについての問題でもないのに、このAとBの会話からオリンピックにまつわる設問を強引に作り出し、なんとなくオリンピックって良さげだよね、みんなで関わっていきたいよねという雰囲気だけを相当な数の受験者に伝えるのは悪質である。この問題文を読まなければ問いに答えることができない。これではプロパガンダである。

二〇二〇年はいよいよオリンピックだから、オリンピックにまつわる会話文で試験を作るのはどうかな、と考えた人たちの短絡さに、それでいいじゃんと頷いた人たちの短絡さが重なる。こういう意見が主流、とする以前に、このAとBの理解には、解釈の違いでは片付けられない事実誤認がある。

この手の文章にあちこちで付き合わされることになるのだろう。だって、もうすぐ開催するんだもん、という理由によって、事実を微調整しながら誤認がばらまかれる。大学入学共通テストでの英語民間試験導入は、萩生田光一文科大臣の「身の丈」発言の影響によって延期されたが、この問題文こそ「身の丈」を知らない。

オリンピックって、こんなにポジティブなものではない。学生に「主体的に関わっていきたいね」なんて言わせてどうする。これまでも、今も、主体的に関わろうと思えるものになっていないいじゃないか。

懲りてない

新型コロナウイルスの感染が日本でも拡大し、イベントなどの制限が出ていたのに、二〇二〇年三月下旬まで、いや、それでも東京五輪は予定通りやります、と宣言し続けていたことを思い出すと、それがそのまま、コロナ対策をめぐる〝後手後手〟連発の理由にもなる。五輪中止が決まった頃から報告される感染者数が増えた、という結果論からあれこれ邪推するつもりはないが、「いや、それでも東京五輪をやります」を保持しようとする力学が、ただでさえ狭い政治家の視野をより狭くしたことは確かである。一月半ばに日本で初めての感染者が出てからもう四ヶ月近くが経とうとしている。一律一〇万円を給付すると決めたのが四月一七日。リーマンショック時の定額給付金は給付するまでに時間がかかってしまったので、今回はなるべく早めたい、とのことだが、そもそも、スタートの設定が遅れている。「さぁみなさん、ここからは素早いですよ！」は、「どうしてこれまでこんなに遅かったんだ！」を隠蔽するための、もっとも安直な手口である。

このところ、定期的に安倍晋三首相の会見に耳を傾けざるを得ない場面がやってくる。彼の会見を聞き終えると、自分の好きな活字に浸りたくなる。血の通っていない軽薄な言葉が繰り返し耳を通過すると、言葉の価値まで削り取られている気がして、自主的に補塡したくなるからだ。相次ぐ安倍首相の会見で、彼が五輪についてどう述べていたかを振り返ってみる。

「東京オリンピック・パラリンピックについては、引き続き大会開催に向けて、ＩＯＣ（国際オリンピック委員会）や大会組織委員会、東京都との間で緊密に連携を取りながら、アスリートや観客にとって安全な、そして安心できる大会となるよう、万全の準備を整えていく考えであります」（二〇二〇年二月二九日）

「オリンピック・パラリンピックにおいては、アスリートの皆さんや観客にとって安全で安心な大会となるように、感動を与える大会となるように、正に日本全体、ワンチームとなって力を尽くしてきたところでありますし、現在も準備を進めています。来週にはいよいよ聖火を日本に迎えることになりますし、私自身、二六日には福島を訪れて、聖火リレーのスタートに立ち会わせていただきたいと考えています」（三月一四日）

「先週、日本にやってきた聖火は、人類の希望の象徴として、我が国でその火をともし続け、来るべき日に力強く送り出すことにしたいと思います。この聖火こそ、今、正に私たちが直面している長く暗いトンネルの出口へと人類を導く希望の灯火であります。人類が新型コロナウイルスに打ち勝った証として、国民の皆様と共に来年のオリンピック・パラリンピックを必ずや成功させていきたい。そう考えています」（三月二八日）

日本で感染拡大が警戒されていた一ヶ月の間に、首相がこれだけ東京五輪に前のめりになっていたことが改めてわかる。「感動を与える」「トンネルの出口へと人類を導く希望の灯火」といった、歯の浮くようなスローガンに酔いしれてきた。三月二四日、ＩＯＣが臨時理事会を開き、開催延期を承認したが、そのタイミングで、IOCと東京オリンピック・パラリンピック大会組織委員会との共同声明を発表している。

「指導者たちは、試練が立ちはだかるこの時期、東京オリンピック大会は世界にとっての希望の灯であり、現在私たちが閉じ込められているトンネルの出口には聖火が燃えたぎっているはずだという共通の認識を示しました。従って、聖火はこれからも日本に残すことで同意されました。また、名称は今後も東京2020オリンピック・パラリンピック競技大会とすることで同意されました」

ここでも登場、「トンネルの出口」。このトンネルの長さを測定できる人は誰もいない。でも、測定できる前提によって、来夏への延期が決定された。「政府内では『2年延期』を推す声もあったが、首相は『1年』にこだわった」（毎日新聞・二〇二〇年三月二六日朝刊）という。自分の任期のうちにオリンピックを実現したいから、だろうか。

とにかく直前まで予定通り開こうとしていた。三月一七日、各国際競技連盟（IF）のテレビ会議に出席したIOCの渡辺守成委員が朝日新聞のインタビューに答えている（三月二三日）。

「すでに東京五輪に出る選手の57％は決まっている。そうした選手の多数は今夏の開催を望んでいるはずで、そうした声も取り上げるべきだ」

「一部報道に延期には数千億円の追加負担が必要とあった。そこまでの巨費をかけなくても、コロナ対策費に投じて今夏の開催をめざしてはどうか。参加各国のオリンピック委員会に対策費を補助する。そうすれば各国にはコロナと闘った東京オリンピックのレガシーが残り、世界における日本のプレゼンスも上がる」

このインタビューから見えるのは、従来通りの日程での開催を主張し続けてきた人たちが、選手の声にすがりながらレガシーを実現させようとする、恐ろしいほどに根拠のない姿勢である。あらゆる経済活動が止まる中で、各種スポーツの試合が実施されなくなった。スポーツ番組がどのように時間を埋めるかといえば、アスリートに話を聞き、来夏に延期された東京五輪への思いを拾い上げるという作業である。

そういった映像を立て続けに見ると、アスリートの想いを尊重して、来夏の東京五輪に向かって皆で走り出そうかという気にもなってくるのだが、これだけ、あちこちの営みが止まっている中で、東京五輪に参加する選手の声を特別視する必要はない。今、自分でパソコンに文字を打ち込んでいて、「選手の声を特別視する必要はない」という文字面は、なんだか冷たく見える。でも、重ねて書けば、なんとなく説得力が増すかもしれないのでもう一回。こういう事態に陥った時、選手の声を特別視する必要はない。ほぼ全てのイベントが延期・中止となり、ライブハウスや映画館などの文化施設は存続そのものが危ぶまれている。小規模事業者の痛みをわかろうともしない政府は、どうすれば補償のために出て行くお金を最低限に抑えられるかばかりを考えている。

文化芸術への支援について、安倍首相は「音楽業界ではイベントが中止となり、売上げはゼロどころかマイナスだという話もありました。先行きが見通せない中で、中小・小規模事業者の皆さんからは、正に死活問題であるとの悲痛な声がある一方で、歯を食いしばって、この試練を耐え抜くよう頑張っていくという決意も伺うことができました」（三月二八日）と述べた。

あたかも、野球部の監督がベンチ前に選手を呼び寄せて述べるような精神性である。歯を食いしばって頑張るって、そんな話を聞いたんで、ぜひ、みなさんも頑張って欲しい、で済ます。トップアスリートの声というのは、この手の姿勢と親和性が高い。自分は東京五輪の開催がいつになってもいいように、それまで体を作っておくだけです、といった、気合に満ちたインタビュー映像を繰り返し見た。

知的障害者のスポーツへの参加を推進する国際組織「スペシャルオリンピックス（SO）」日本理事長・有森裕子がこう述べる。欠けているのはこういう考えではないのか。

「『五輪がいつ開催されるか』『予算はどうか』という話は内輪でやればいい。今競技ができないのは仕方がない。嘆くだけじゃなく、組織も選手を社会に寄り添わせる発言をしてほしい」

（東京新聞・二〇二〇年四月二〇日朝刊）

この発言を知って、初めて気づく。スポーツ団体から、次なる五輪に向けた言葉は出てきても、「社会に寄り添う」という観点は出てこない。早く収まって五輪が開けるといいですね、というメッセージは、あくまでも自分たちのためのメッセージだ。延期が決まった後、残念なことに日本でもコロナウイルスが本格的に広まってしまい、報道はそれ一色になった。五輪にまつわる議題はひとまず置いておかれている。

たとえばこんなニュースはあまり目にしなかったはずである。四月一六日、東京2020組織委員会とIOCで会議がもたれ、大会延期に伴う今後の大会準備の枠組みについて議論された。今後のプロセスを統括する「ジョイント・ステアリング・コミッティー」を設立し、「このジョイント・ステアリング・コミッティーの下、IOC側は『Here we go』タスクフォース、東京2020組織委員会側は『新たな出発本部』というそれぞれのタスクフォースを置く」(Tokyo2020)のだという。

ネーミングだけで判断するのはよろしくないと思いつつも、この人たち、懲りていない。彼らが何を優先し、何を隠したのが、注視しなければいけない。結果として、五輪が行われようが、行われまいが、この大罪は変わらない。やる、やらない、ではなく、それどころではない。ここにひたすら立ち返りたい。

第4章

劣化する言葉

「分断」に逃げる前に

これが正解です、と宣言される言葉がどう考えても間違っている場合、改めて修正してもらうのってなかなか難しい。なぜって、報告してくる時点で、議論を閉じている場合が多いから。今、世の中で、「分断」なんて言葉が容易に使われ、敵対する者同士が議論するのってとっても難しいよね、という議論の展開をよく見かける。それは確かにその通りなのだが、あちらから投じられる言葉が誤っているのであれば、まずはその言葉を問うしかない。「その言葉ってどうなんですかね、どういう意味なんですかね」と問うと、「出た、人格否定。ホント、殺伐としてますよね、最近」と話が展開してしまう。それ、まったく別の話だ。時に細かな言葉の問題を取り上げると、態度やスタンスの話に移行して、その差異で比較しようとする。言葉の意味を定める人や組織が、言葉を軽んじている。それは政治の場面だけではなく、この章で取り上げるように、教育、テレビ、SNSと多岐にわたる。言葉が劣化していくのを諦めている人たちが、劣化を加速させていく。

読書感想文のマニュアル

共産党の堀内照文衆議院議員が小学五年生の息子に配られた「読書感想文マニュアル」のプリントをTwitterにアップし、「これに従順にならえば恐ろしく画一的な感想文がいっせいに提出されることでしょう。ここに一体どんな教育的効果が?」とつぶやいた。一万を超えるリツイートで拡散されると、数日後にツイートが削除された。なぜ削除したのだろう。

その理由をホームページで明かしている。「実際にはあのツイートでは、確かに指摘されたように、先生方をも批判し、まさにやる気を削ぎかねないものとなっていると思います。このことは率直に私の軽率さを認めなければなりません。先生方を励ましこそすれ、やる気を削ぐようなことは私の本意ではありません」とのこと。本当に懸念していたのは「『書けた』としても、そこに本当に子どもの姿が映っているだろうか」という点だったと精神論に逃げ込んでいるのだが、「一体どんな教育的効果が?」と具体的に迫ったことは忘れられている。

そもそも先生たちからしてみれば、生徒に配布したプリントを国会議員が丸ごと公開してしまう判断にやる気を削がれたはずだが、厳しく指摘するなら指摘し尽くせばいいものを「私の本意ではありません」とうやむやにしてしまう。発言した後に世間の反応が芳しくないと察知した政治家が「真意とは異なる」「本意ではない」と、自分の発言を崩さぬまま、受け取る皆さんがちゃんと理解してくれないから困っちゃうよね、と渋々取り下げるのが、与野党を問わず永田町のブームとなっているのならばむなしい。

取り下げたとはいえ、ネット上にいくらでも漂流している、配布されたマニュアル文を通読してみる。まずは書き出しで小説の一部を抜き出し、続いて、抜き出した部分についてのコメントを書く。そこからこの本を選んだきっかけや読み始めた印象に移る。自分の体験を織り交ぜながら、書き出しで引用した部分に戻り、「その本を読んで、自分がどう変わったかを書く」べきだと記されている。「シンデレラ」を題材にそれぞれの例文が示される。「本を読んだら自分が変わる」と確定しているのがそもそも解せない。変わるかもしれないし、変わらないかもしれない。読書感想文のマニュアルを提示することよりも、その確定が何より貧相な思考に思えてしまう。配布した学校が朝日新聞の取材を受けており、学校側は「担任が感想文の書き方を指南する文面をネットで見つけ、『わかりやすいので参考に』と、内容を転載した紙をクラスで配った」（朝日新聞・二〇一六年九月二日朝刊）という。

転載した原典を探ると、なんとYahoo! 知恵袋であった。「ライター：danja0404 tomoe」が記した「読書感想文がいくらでも書ける書き方」、このページは二五〇万近く閲覧されている。この書き手は冒頭に「注意」の項目を設けて、「※あくまで、個人的な考えをもとに書いているので、人によって違うと思うところは、どんどん変えてください」と書いているのだが、当該のプリントにはそれが無い。知恵袋では「＊本文1…本を選んだきっかけ、読み始めたときの感想を書く」の例文を、「不幸になっていくシンデレラがとてもかわいそうで、読むのが辛かった。何度も、途中で読むのを止めようかと思った」とし、そこへ「(※↓こんな風にエピソードを入れるとリアルになるので、嘘でもいいから入れてみましょう。別に悪い嘘じゃないですから)」とポップに解説していく。

しかし、配布されたプリントでは「※↓こんな風にエピソードを入れるとリアルになるよ」と変更されている。また、本文2の注釈は、知恵袋では「※事実を入れながら書くと、書きやすいです。文章が苦手な人でも、自分の話なら書けますよね」となっているそれを「※事実を入れながら書くと、書きやすい。文章が苦手な人でも、自分の話なら書けるはず」（傍点引用者）と、ですます調から変換することで説得力を増幅させようとしたのに、その作業によって誤植が生じている。知恵袋と配布プリントを比較してみると、生徒に対して馴れ馴れしい表現にならないように調整した形跡と、手を入れた文章を頭から読み返さなかった様子の二つが発見されるのだ。

二〇二〇年度から実施される次期学習指導要領で小学三年〜六年生の授業時間数が英語の必修化などで年間三五コマ増える。ただでさえ満杯のカリキュラムを更に増やさねばならないことに困惑している現場に向けて、文部科学省は「1こまを10〜15分程度に分割して毎朝の始業前などに行う『帯学習』や60分授業のほか、土曜や夏・冬休みの活用など、各学校の実情に応じた柔軟な時間確保を求めている」（東京新聞・八月二日朝刊）というのだから、はっきり言って先生たちは、夏休みの読書感想文どころではない。あまりにも忙しい。毎朝の始業前は、生徒各々が読書をする「朝読」の時間に使われている学校も多い。つまり、読書時間を剝ぎ取るカリキュラムとも言える。

先に引用したが、このツイートを受けて朝日新聞は「読書感想文　マニュアル論争」というタイトルで記事化したのだが、論争などするまでもない。書く側の生徒たちの多くは、「気に入られる作文」「褒められる作文」の方向性を漠然と把握していて、そこに簡単にアプローチできるかどうかが得意・不得意の決め手となる。生徒は「その本を読んで、自分がどう変わったかを書く」ではなく、「どう変わったと書けばいい点数を貰えるだろうか」と考えるだろう。つまり、Yahoo! 知恵袋にあって配布プリントにはなかった「嘘でもいいから入れてみましょう。別に悪い嘘じゃないですから」に取り組めるかどうかが、読書感想文の得意・不得意を決めるはずなのだ。

そもそも読書感想文とは、文字通り読書の感想なのだから、別に自分の変化を書く必要などないのだが、「Z会作文クラブ」のサイトを見れば、やっぱり「『その本を読んだ経験によって得たもの』を書くとよいでしょう」とある。ライターという仕事をしているので、読書と自分との距離ってとても近いけれど、別に距離などどこまでも遠くて構わない。読書の醍醐味は、読んでもいいし、読まなくてもいいという段階から用意されていると思う。だから、「読書感想文を書くことは、国語の勉強というより、人とのコミュニケーション力を高めていくことだ」（齋藤孝『だれでも書ける最高の読書感想文』角川文庫）と書かれているのを見ると、さすがに苛立つ。そうやって偉そうな設定を避けなければいけない。読書は人としての積極性を補塡する行為ではない。むしろ、自分の思考にぶつけていくのだから、逆方向を向いてきたはず。

齋藤は最高の読書感想文を書く基本姿勢として三つを挙げる。

1 「やらされている感」を捨てる。
2 「これは自分のミッションだ!」と思ってしまう。
3 やる気をダウンさせるネガティブな言葉は使わない。

これって、居酒屋チェーン店の従業員マニュアルに書かれているスローガンとほとんど同じなのだが、読書感想文を「コミュニケーション能力」に昇華させるためにはこういう強引な姿勢の列挙が必要となるのだろう。

日本経済団体連合会が毎年公表している「新卒採用に関するアンケート調査」(七九〇社が回答)の二〇一五年度版を見れば、企業が選考にあたって重視した点を問うアンケート(複数回答)で、「コミュニケーション能力」が一二年連続で一位になっている。二位の「主体性」(六〇・一%)を大きく引き離す八五・六%という数値を叩き出している。そう、主体性よりもコミュニケーションなのだ。人様にどう合わせるかではなく、自分に作用するかしないかが読書だと思っているので、ことさら齋藤の言う読書感想文の定義に頷けない。読書の醍醐味に介入しないで欲しいと思ってしまう。

まったくブラックジョークとしか思えないのだが、これだけ窒息しそうなカリキュラムを組もうとしている文部科学省は、新学習指導要領の目玉として「アクティブ・ラーニング」(能動的な学習）を提示し、文科省の中央教育審議会はこれを「主体的・対話的で深い学び」と定義付けた。生徒を更に拘束することで能動性・主体性を植えつけようとしている。

読書感想文に「その本を読んで、自分がどう変わったかを書く」ことを求めているのは、そういう矛盾のなかに生徒を置こうとしていることにすら気付いていないから、という気がしてきたし、当然、先ほど列挙した基本姿勢をひっくり返す読書感想文こそ優れた作品である、との持論が強固になる。

プレミアム自家製シチュー

何人かのメールの末尾に「花粉症なんて絶対に治せるはず。耳鼻科業と製薬会社を太らせるサイクルでしかないからね」と、読んだ相手が困惑するような勢いで書き殴り、花粉症の無い台湾にやって来た。

中国語は読めないものの、入り口の貼り紙に閉店時間を示していると思しき「22：30」との数値を確認し、二一時半に喫茶店に入ると、洗面所が清掃中とのことで封鎖されている。清掃を終えた店員が、いくつかの椅子を組み合わせ、入り口に小さなバリケードを作っている。もうこれ以降は使わせない、との力強い主張だ。どうやら「22：30」は閉店時間ではなく求人広告の勤務終了時間だったようで、二二時に閉店するこの店は、トイレの清掃を二一時半に終えていたのである。

なんと気持ち良い姿勢だろう、と思う。「間もなく閉店となりますので……」の声かけを二一時五〇分に始めるジャパニーズスタイルでは、二二時三〇分に仕事は終わらない。もうすぐ閉店なのでそろそろ出てくれないっすかね、を遠回しに伝える国民的楽曲「蛍の光」は、最後までゆっくり居座りたくなる音階でもあり、店員が店を出るのは二三時を超えてしまうのではないか（今、適当に喫茶店チェーンの求人を検索してみたところ、二二時閉店の店の勤務時間は二二時三〇分までとあった）。

プレミアムフライデーなる明らかな愚策を手短に糾弾するのは容易いのだが、シチューをコトコト煮込むようにじっくり問うのがいい。まずは経団連・榊原定征会長によるプレミアムフライデー導入に向けての挨拶文の冒頭をご堪能いただきたい。読み上げてみるのもいいかもしれない。お題は「月末金曜に、心豊かなひとときを」だ。

「職場を出て飛び乗った列車の窓に広がる銀世界。冷たい風を切って走る道に、ふとただよう春の気配。午後のやわらかな日差しの中、走りまわる我が子の笑い声。旧友との乾杯でよみがえる青春の日々。時間をかけて煮込んだ自家製シチューの深い味わい。穏やかに微笑む妻と傾けるワインの香り。久しぶりに帰るふるさとの母の笑顔……人の数だけ『プレミアム』、ちょっと豊かなひとときがあります」

二〇一七年二月二四日、プレミアムフライデー導入の日に朝日新聞に四面も使って掲載された広告（企画・制作：朝日新聞社メディアビジネス局）に添えられた文章なのだが、財界のトップからはいつだって個々の労働者が見えていない、と明らかにするような文章だった。榊原は導入の理由を「ほんの少し早めに仕事を終えて、時間のゆとりを作りだすことで、心豊かなひとときを過ごしていただきたい……そんな願いをこめて」と書いているのだが、心豊かなひとときの具体例を見て、逆張りで遅くまで残業に励みたくなった労働者も少なくないはず。

二月末の東京の日の入り時間はおよそ一七時半、東京に住むサラリーマンの平均通勤時間は約一時間だから、午後のやわらかな日差しの中、走りまわる我が子の笑い声を聞くのはそう簡単ではない。家に帰ってから時間をかけて煮込んだ自家製シチューの深い味わいを堪能するのは、それなりの夜遅くである。それとも、妻が昼過ぎから自家製シチューを煮込んでいるのだろうか。ひとつずつ突っ込みたくなる例示だが、会長からいただいた玉稿に突っ込むことは誰一人として許されなかったのだろう。

同じ広告に掲載されている「月末金曜はここまで変わる」に、具体的な事例を挙げ「これまで」と「これから」が時系列で比較されている。「事務のBさん（23歳・女性）」の「これまで」はこうだ。

「17：00　終わったと思ったら、上司が私に仕事を押し付けて、帰った。」
「20：00　うわーっ、書類上のトラブルが発覚！　でも、上司と連絡がつかない。どうしよう？」
「21：30　ようやく上司と連絡がつき、事なきを得る。ふ〜、疲れた！」

「これから」は変わる。月にたった一日だけ、こう変わるらしい。

「15：00　今日は初めてのプレミアムフライデー。会社を出て、お目当てのバーゲンに直行！」

「15：30　大勢の人でごった返すなか、お目当てのバッグをゲット。」

「17：00　その後もショッピングを楽しんで、おしゃれなカフェで休憩。」

「20：00　帰宅後、友達とディナーへお出かけ。さっそく買ったばかりのバッグを持っていこう。」

「21：30　女子会ディナーは大盛り上がり。バッグをほめてもらったし、お食事はおいしかったし、今日は最高！」

プレミアムフライデー云々の前に、終業前に仕事を押し付ける上司が問題であって、この上司がいる限りは、たとえ「これから」であっても、

「20：00　帰宅後、友達とディナーへお出かけ。さっそく買ったばかりのバッグを持っていこうってタイミングで上司から電話。週明けのプレゼン資料に情報を追加してほしいって、マジ最悪なんだけど……。」

こうなるに決まっている。消費活動を促すためなのか、バッグを買わせているのがいかにもだが、労働環境を問わなければ、フライデーはプレミアムにならないのである。

苦い取り組みを思い出そう。日照時間が長い夏の時期に始業時間を早め、夕方に退社しようとする取組「ゆう活」。こちらもとにかく定着しなかった。「ゆう活」の「ゆう」には、「夕」

だけではなく、「悠々とした時間が生まれる」「友人と会える。遊ぶ時間が増える」「家族で過ごす優しい時間ができる」「新しい人・モノ・ことと自分が結ばれる。」（政府広報オンライン・傍点引用者）との思いも込められていた。

このスローガンはまさしく榊原会長がプレミアムフライデーの宣言文で具体化した自家製シチュー等々と合致するのだが、労働者のプライベートの一律的なイメージにうなだれる。ちょっと着飾っているだけで女性社員の背後から「おやおや今日はデートかね？」と声をかけちゃいそうなオッサン臭が漂う。エピソードなんかいらないから、とにかく就業規則通りに帰らせろ、休ませろに尽きる。残業が一向に減らないのは、二二時に閉店する店のトイレの清掃を二一時半に終えるなんて言語道断、という風土にあるのだから。

政府が導入を目指している残業時間の上限規制は「月一〇〇時間未満」「年間上限七二〇時間」に落ち着きそうだが、この残業規制には休日労働が含まれていないなどの抜け穴もある。そもそも過労死ラインの基準である「発症前一カ月間に月一〇〇時間」とするのは印象が悪いので、「月一〇〇時間未満」にしてみたとの姑息さが漏れていた。それどころか、こういった上限を設ける事自体に賛同しない人たちすらいたのだ。こんな声が出ていた。

「日本ではこれまで社員の勤勉さと長時間労働が産業競争力を支え、国際競争力の源泉となってきた側面がある。実態を離れた急激な規制は企業の競争力を損なう懸念がある」

勤勉に長時間労働する日本だからこそ国際競争に勝ててきたのであって、世の中の雰囲気に流されて残業をカットしているようでは企業の競争力が損なわれてしまう……こういうことを言う人がいるから、せっかく榊原会長が提言してくださった自家製シチューを煮込む時間がなくなってしまうのだが、このように話したのが誰かといえば、驚くなかれ榊原会長なのであった（一般社団法人 日本経済団体連合会「記者会見における榊原会長発言要旨」二〇一七年二月二〇日）。彼は、午後のやわらかな日差しの中、走りまわる我が子の笑い声なんて聞いてないで働いてもらわないとな、と言っているのである。仕事が終わったタイミングを見計らって新たな仕事を押し付けてくる上司の姿そのものである。シチューを煮込めない。彼が煮込ませなかったのだ。

残業の上限規制の議論は、「どうやって残業を守るか」という着眼から策定されている。建設業界は上限規制に対し「労働時間の単純な短縮は五輪関連や災害復旧工事の工期に影響しかねない」（日本経済新聞・二〇一七年三月一八日）とし、適用を二〇二〇年東京五輪まで猶予してくれと申し出ていた。

国民を黙らせやすい五輪や災害復旧をここでも使う。五輪に絶妙に復興を混ぜ込む態度は、いつのまにか復興五輪と言い始め、被災地の勇気になるなどと持ち上げ始めた事からも明らかだが、今こそ頑張りどきなんだとの乱雑な気合が、結局は既存の風土を保持させる。あなたと私は同じ気持ちでいますよと軟化させ、そうは言っても実際はこうでなくっちゃと硬化する。そういうの、要らない。労働者が欲しているのは、みんなで早く喫茶店を閉店させようと力を尽くしてしまえる態度ではないか。シチューを煮込むか残業か、そんな二択に向き合いたくない。用いられる言葉を確認すれば、そもそもの姿勢が劣化しているとわかる。

保護者の皆様へ

「文科省ウゼェェェ」と、友人からのメール。画像が貼り付けられており、小学校の入学式で配布されたものだという。教科書が入った紙袋をひっくり返すと、このようなメッセージが掲げられていた。（以下、傍点引用者）

「保護者の皆様へ

お子様の御入学おめでとうございます。

この教科書は、義務教育の児童・生徒に対し、国が無償で配布しているものです。

この教科書の無償給与制度は、憲法に掲げる義務教育無償の精神をより広く実現するものとして、次代を担う子供たちに対し、我が国の繁栄と福祉に貢献してほしいという国民全体の願いを込めて、その負担によって実施されております。

一年生として初めて教科書を手にする機会に、この制度に込められた意義と願いをお子様にお伝えになり、教科書を大切に使うよう御指導いただければ幸いです。文部科学省」

次代を担う子供たちに対しては、我が国の繁栄と福祉に貢献するよりも、自分の考えを誰からも制約されたり歪められたりすることなく、思うままに伝えられるようになってほしい。国が無料で用意してあげましたんでその旨伝えといてね、という諭し方って、この上なく要らない指示である。

いつの間にか「国民全体の願い」とされていることに国民として違和感を覚えるのだが、こういった押し付けがましさは今に始まったことではない。文部科学省の「義務教育教科書無償給与制度の意義を伝えるために」を読むと、「義務教育諸学校の教科用図書の無償措置に関する法律」が成立したのは一九六三年。その三年後から、教科書を配布する紙袋の裏面に、先述の文面を印刷し始めたとある。あの文面を見て、勇み足で現政権の批判を繰り広げそうになったのだが、実は自分が小学生の頃にも配布されていた文言なのだった。ちょっとまだ、国民全体の願いに応えられずにいる。

なお、二〇〇七年度からは小学校後期用の、二〇〇八年度からは中学校の教科書の裏表紙等に、それぞれ「この教科書は、これからの日本を担う皆さんへの期待をこめ、税金によって無償で支給されています。大切に使いましょう」と掲載されるようになった。何のために教育を受けるのか、というスローガンを国が作ると、すぐにこうして、我が国の繁栄や日本を担うため、といった文言が顔を出す。売れないポップシンガーの歌詞のような言い方になるが、あなたがあなたらしくいるために教育を受けるべきであって、保護者の皆様は、教科書を配布されてすぐに、制度に込められた意義と願いをお子様に伝える必要など毛頭ない。

ある日取材で高校の入学式に出向き、体育館の二階からその模様を見学していた。校長の話やPTA会長の話ってこれほどまでにつまらないものだったかと驚きながらも落胆したのだが、あらかじめ用意してきた紙を目で追いながら、彼らは「これからの日本を背負い、礎となるような」としきりに繰り返していた。この手の挨拶って、生徒の多くは真に受けちゃいない。そもそも冒頭のメールをくれた友人にしても、一度はゴミ箱に捨てていた封筒を、別の友人から指摘されてゴミ箱から引っ張り出したというのだから、この手のパブリックな言葉って、押し並べて当人には届いていないものだ。そんなの聞いちゃいない、あんなの捨てちゃってたよ、というういい加減な態度が救いにも思える。

二〇一八年度から、小学校で道徳の授業がこれまでの「教科外の活動」から「特別の教科」へ格上げされるに伴い、初めての教科書検定が行われたが、検定に合格した教科書のひとつで「パン屋」の設定が「和菓子屋」に修正されていたことが分かった。とにかく閣議決定して事案を消費する悪癖を重ねる政権は、今件についても四月七日の閣議で、「(文部科学省が) パン屋に関する記述に特定して検定意見を付した事実はない」とする答弁書を決定したのだから、噴飯ものである。

報道によっては、あたかも文科省が「パン屋」の記載を「和菓子屋」に変えさせた、との印象を与えるものもあったが、文科省は当該の教科書について、内容全体が「我が国や郷土の文化と生活に親しみ、愛着をもつこと」との項目を充足していないと意見していただけにすぎない。この修正を行ったのは東京書籍刊行の小学校一年生用教科書。「にちようびのさんぽみち」という題材で、1年生のけんた君がおじいさんと散歩に出かけ、パン屋でお土産を買い、自分の町を好きになる、というストーリー。パン屋の設定を和菓子屋に変更し、「お店のお兄さんから季節感のあるカキやクリでつくることを教えられ、けんたは初めて見た和菓子についてもっと知りたいと思った」（東京新聞・二〇一七年三月二八日朝刊）と変えたのだ。

東京書籍の担当者は「パン屋の設定を維持し伝統、文化の話をしようとすれば複雑になる」としているが、食パンに小倉あんをのせるだけで済む話だ。この題材について、東京書籍が生徒に対する「指導時案例」を示していた。そこではまず導入として、生徒に「自分たちの町の好きなところはどこですか。いいなと思うところはどこですか」と問い、続いて、この作品を読みながら「けんたは、いつもと同じ公園までの散歩道でいろいろと出会って、どんなことを思っているでしょう」などと展開すべし、と記されている。ワークシートにあるお題は「あたらしい　はっけんを　して、　けんたは　どんな　きもちに　なったでしょう」と、「じぶんのまちの　いいなあと　おもうところを、　けんたくんに　おしえてあげましょう」である。ただしこれは、二〇一五年度用のもの。これではもう通らないのだ。郷土愛が足りない、とされてしまう。

検定基準はどう変わったのか。道徳を「特別の教科」として格上げするにあたり二〇一五年に学習指導要領を新たに発表、その際に「伝統と文化の尊重、国や郷土を愛する態度」が強化された。例えばこれまで「郷土の伝統と文化を大切にし、郷土を愛する心をもつ」（三・四年生）とされていたところに、「我が国や郷土の伝統と文化を大切にし、国や郷土を愛する心をもつこと」と、「我が国」「国」が加わった。「我が国」を追加する意図について、文科省の資料を探してみると、「国との関わりを深められるようにするため」（『小学校学習指導要領解説 特別の教科 道徳編』）との記載を一年生・二年生に向けた文言に見つける。「我が国」との関わりを深めるのと同じく、「これからのグローバル化に対応する素地を培うために『他国の人々や文化に親しむこと』を加えた」ともあるから、おお、なんだ、バランス取れてんじゃん、とも思えるのだが、甘い。

五年生・六年生になってくると、「日本人としての帰属意識及び社会的な広がりを再考して『郷土や我が国』『郷土や国』を『我が国や郷土』『国や郷土』に改めた」なんて記載が出てくる。まったく奇怪な措置である。順序を変え「郷土」よりも「国」を優先したわけだが、その理由を「日本人としての帰属意識」としている。故郷より国に帰属せよ、ということなのだろうか。

三年生・四年生の「感謝」の項目を見ると、これまでは「生活を支えている人々や高齢者に、尊敬と感謝の気持ちをもって接する」だったものが、「家族など生活を支えてくれている人々や現在の生活を築いてくれた高齢者に、尊敬と感謝の気持ちをもって接すること」に変わっている。伝統的な「家族」とイケイケだった「過去」を大好物にする人たちの意見が存分に反映されたものであることは明らか。

一般財団法人「親学推進協会」は、発足当初、安倍首相が会長を務めた「親学推進議員連盟」と結束しつつ、教育の方向付けに大きな影響を与えてきた組織。当団体はウェブサイトで「親学について」と題し「わたしたちの親や祖父母の時代と現代をくらべると、少子化、核家族化や価値観の多様化、女性の社会進出などにともなって、子育てや親と子を取り巻く状況は大きく変化しています」と説明し、親のあり方を見直すべきだと提言し続けてきた。この議員連盟に名を連ねている下村博文議員は、ブログに「発達障害を予防する伝統的子育てとは」と題した文章を載せて非難を呼んだこともあるが、彼らの目指してきた姿勢が、道徳の授業として、じんわり染み込む体制が整えられつつあるのだ。

「『何でもかんでも批判すりゃいいってもんじゃない』との批判で何でもかんでも済まそうとする」為政者や識者は年々増えてきている。和菓子屋にしたので教科書OKしてやるよ、には相当な蓄積がある。長年配られてきたものの、多くの人たちが無視してきた「我が国の繁栄と福祉に貢献してほしい」がいよいよ個々に要請されている。保護者の皆様のみならず、しっかり嫌がっておくべきだろう。上っ面の言葉が、より具体的な力を持とうとしている。

税金婚活

時折、新聞に掲載されている結婚相談所「Cupid Club」の広告は、掲載する時代を半世紀ほど間違えたかと思うほどに旧時代的だ。でも、おそらく、広告を出すほうは、旧時代的で構わないと思っている。だって良かったじゃない旧時代、ここに戻らないと、と思っている。どこまでも果てしなく古臭い。こんな言葉が大きく躍っている。

「ご子息の結婚　強引に勧めた先に、感謝の言葉が待っています。」

「男の価値は、妻でわかる。」

この会員制の結婚相談所では、入会に際して審査が設けられている。この組織が「慶應大学OB間の親睦パーティから発足以来36年。結婚して当然の人に、信頼の情報で応えます」と謳われているのを確認すれば、選民意識の方向性がおおよそ読み取れるだろう。（こちら、既婚者ではありますが）こういう選民意識を持たない人を選びたい、と思う。

ウェブサイトに並ぶ「ご婚約リスト」を見ると、年齢や年収を記すのではなく、「♠一橋大　精密機器・♥成城大　商業」「♠早稲田大　商社・♥津田塾大　空運」といった具合。つまり、いい感じの大学を出て、いい感じに働いている人たち同士が、いい感じに結婚していますよ、と例示しているわけだが、この様子を見て、「いやー、これはいい感じだね！」と申し込める人たちには有益な情報なのだろう。

念のため入会資格を見てみると、男性に限って「定職におつきの方」との条件がある。いい感じの大学を出ていても、いい感じの会社でいい感じに働いていないと入れないのか。馬鹿げた基準だが、こういうものを指差して「馬鹿げてる！」と罵倒する自分のような人間をあらかじめ排するためにも、事前の審査を必要としているのだろう。女性は、いい感じの大学を出ていれば、定職についていなくても構わない。むしろ、専業主婦願望の強い女性を欲しているのは、この結婚相談所が掲げる「日本の心の文化を受け継ぐ結婚」とのスローガンからも読み解ける。なんだ、その結婚。結婚観がいくらでも多様化する昨今にあって、こうやって丁寧な恫喝を繰り返し、ブランドイメージを高めていくのだろう。

「男の価値は、妻でわかる。」という広告の文言に付け加えたくなるのは「……とか言っちゃってる男の価値の低さったらないよね！」しかないが、実際の広告はこのように続く。「〝一緒にいて居心地の良い女性〟と結婚した男性。堅実な家庭を築き、言動や所作に安定感が増し、周りの見る目は違ってきます。日本の心を受け継ぐ結婚を提案するキューピッドは、男性の価値を高めるフィールドです」

結婚によって周りの見る目が変わることを期待する男性の価値なんて、その時点でたかが知れていると思うのだが、結婚しても言動や所作が不安定なままの私とは、根本的に価値基準が違うので比較は簡単ではない。「ご子息の結婚　強引に勧めた先に、感謝の言葉が待っています。」という短いキャッチコピーには複数のストレッサーが含まれているが、このように親の強引な介入を歓迎するこの相談所は、「ご両親様へ。」と題した文言を用意し、このようにして「ご両親」を急き立てる。

「受験で予備校へ通う子供の努力にエールを送り、就職で会社訪問する姿に頑張れと励ましてきた。それなのに、なぜ、それ以上に大切な人生の選択、結婚へのサポートをためらうのでしょうか。」

あまり上品な言葉ではないけれど、端的に伝えるためにどうしても必要なので使うと、マジでクソウザい。この結婚相談所が尊重してきた四つのキーワードのうちのひとつには「フェア」があり、「学歴・職業等により費用に差をつけない」とあるのだが、定職についていることを入会の条件にしている時点でフェアではない。そもそも定職を持たずに働くのは「職業」

ではないのである。私の生業であるフリーライターなんて、「職業」には該当しないのだろう。

この手の選民意識って、選考に漏れてしまう周囲を苛立たせることで強化されていくものでもあるのでこの辺にとどめておくが、このところ、この手の姿勢が特別ではなく、結局やっぱりそうだよね、と回帰している印象を持つ。進化生物学と金融工学を恋愛に応用した「恋愛工学」なるものを提唱し、二〇一五年に刊行された『ぼくは愛を証明しようと思う。』（幻冬舎）が話題になった作家・藤沢数希がこのようなツイートを残している。

「女の人生って、クイズ番組みたいなもので、中学、高校と10点、20点と競い合って、大学入試で30点、キラキラ競争で30点、就職先で40点、オシャレで15点みたいに進んでいって、最後に司会者が『それでは最後の配偶者選び問題で正解者になんと３０００点です！』みたいな感じ」（二〇一七年五月二一日）

この呆れる投稿にそれなりの賛同が集まっていることに驚くが、先述した広告コピー「男の価値は、妻でわかる。」との親和性が極めて高い。こうやって「女の人生」を身勝手に規定し、時に煽りながら商売に繋げていく話者が人気を博す。「女の人生」の定義を敢えて一昔前に差し戻す行為が、本音を隠さない姿勢としてもてはやされていく。先述の書籍を通読してみたものの、愛を証明できていない、と感じた。

官公庁が推し進めてきた「官製婚活」には、まさしく「女の人生」を古臭いものに定め直そうとするものが多い。典型例として紹介するのにふさわしいのが、福井県が作成した結婚応援ポスター。花束をもらった女性が嬉しそうに破顔している写真に添えられたメッセージは、

「プロポーズ。ハイかYESで、答えてね。」である。「女の人生」、そのゴールを一つに絞り込む。もともと福井県は婚活事業に力を入れており、そのひとつに「職場のめいわくありがた縁結び」プロジェクトがある。「めいわくありがた」とは「ありがた迷惑」を反転させた造語で、その言葉の意味は「最初は迷惑かもしれないけれど、良い結果に結び付き、ありがたいと思えること」だという。やっぱりここでも、先述の結婚相談所のコピー「強引に勧めた先に、感謝の言葉が待っています。」と同化してしまう。縁結びを担ってきたのは地域だったが、これからは職場にも広げるべし、独身社員にお見合いを勧める上司を各企業に選任してもらい、「職場の縁結びさん」と名付けて活動してもらおうと画策する。なかなか迷惑な話である。

もちろん、これらが県の独自の取り組みであるはずがなく、国の要望に準じている。官製婚活を推し進める内閣府のプロジェクトチームは、その名も「結婚の希望を叶える環境整備に向けた企業・団体等の取組に関する検討会」。その「趣旨」には、「ニッポン一億総活躍プラン」の一環として、「これまで十分でなかった企業・団体等による結婚支援の取組のモデルの創出及びその取組の拡大を図ること」とある。公開されている議事録を読み込めば、地域や企業が個人に対して結婚観を強制すべきではないことや、性的少数者をはじめとした多様性への配慮も組み込まれているものの、これらの議論の詳細を捉えずに、地方自治体は、国もああやって言ってるし、結婚の希望を叶えさせようぜ、と前のめりになる。

「官製婚活」と言われるからには当然、税金が投じられているわけだが、共同通信の調査によれば、自治体が行った結婚支援事業に約六〇万人が参加し、その中から七七四九組が実際に結婚するに至ったという。参加した人のうち、おおよそ二・五％が成就したことになるが、その数値をどう判断すべきかは難しい。官製婚活は「自治体事業の安心感や民間の結婚相談所などと比べて安い費用が支持された」（東京新聞・二〇一七年五月二一日朝刊）という。二〇一七年度の予算として、四七都道府県で計二三億五〇〇〇万円が官製婚活に投じられた。これまでの成婚数と今年度のコストを単純に比較するべきではないが、〝税金婚活〟には、一組あたり三〇万円ほどのコストがかかっている計算になる。

少子化対策、という強力な名目のために諸々を走らせているのは分かる。しかし、そこで価値観までもリセットしていいわけではない。かつての愚策の数々を思い起こそう。適齢期での出産を国が促すものとして配布が見送りになった「女性手帳」。母親のみの育休を前提とした「3年間抱っこし放題」。懲りちゃいない。岐阜県が作成した「ライフプラン」の冊子「未来の生き方を考える」を覗いてみると、登場人物の女性「みらいさん」の紹介文には「自分の両親みたいな人生を送りたいと思っている」とあり、「30歳までに1人目を産むことができれば、2人目、3人目の出産にも前向きになれそうね」と宣言。最終的には、「適齢期のうちに2人産みたいな」と、「女性手帳」的なことをさらりと述べる。

一億総活躍や女性活躍が遮二無二繰り返された結果、旧来の結婚観が発動し、むしろ女性の個々の選択を狭めている。そもそも、国が少子化問題を問うならば、産業構造全体を見渡して対策を練るべき。興奮気味に伝えられる「〇組が成婚！」は、税金をふんだんに投じて真っ先に取り組むべきことなのだろうか。

「冷笑的な人たち」より

それにしても、糸井重里がTwitterで「冷笑的な人たちは、たのしそうな人や、元気な人、希望を持っている人を見ると、じぶんの低さのところまで引きずり降ろそうとする。じぶんは、そこまでのぼる方法を持ってないからね」(二〇一七年一一月一六日)とつぶやいたのには驚いたし、彼と結託して動いている人たちから懸念を表明する言葉が出てこなかったのには呆れた。それはちょっと、と直接的に苦言を呈する人が近くにいないと、いざという時の言葉がここまでだらしなくなってしまうのだろうか。

自分は、仕事内容を一〇個くらい列挙せよと問われれば、六番目くらいに「冷笑すること」が出てくるような物書き仕事をしており、もちろんそれが中心的な生業になってはいけないなとは思うものの、冷笑が、直ちに「たのしそう」や「元気」や「希望」に劣るものだとは思っていない。これから自分なりに頑張って、冷笑をすべて希望に変えていこう、なんて思っていない。勿論、反論する手段を持たない人や特定の人種を指差して差別的言動を投じながら冷笑することは許されないけれど、言葉を操縦しながら政治やビジネスを動かす人の言葉を見聞きして、時と場合に応じて冷笑を向ける選択肢を保つことは、言葉で日銭を稼ぐ人間の態度として極めて無難なことである。屁理屈かもしれないが、冷笑する選択肢を保っているからこそ、冷笑しないでおく選択肢を保てるのである。常日頃、「みんな」や「ぼくら」といった「仲間たち」を主語に語ることの多い糸井が、今件（後述します）についてはあからさまに人を区分し、「冷笑的な人たち」を圧倒的な下部に置き、「のぼる方法を持ってない」と片付けた。その区分による排他が、何より強い冷笑になっている。

先のツイートからしばらくして、糸井は「しかし、思えば『あら探し』だらけの世の中で、あらを探される側になっているということは、ものすごいことだよ、と言えるよ。がんばれ、『あら探されてる』やつら」（ほぼ日刊イトイ新聞「今日のダーリン」一一月二九日）と記しているが、あらを探している側とあらを探される側とを区分し、あらを探される側に「がんばれ」と支援を表明する手つきは、やっぱり引き続き乱暴である。どうしてこんなにそれぞれの定義が雑なのにしっかり区分けするのだろう。先の段落の一文をコピペして一部だけを書き換えると、自分は、仕事内容を一〇個くらい列挙せよと問われれば、五番目くらいに「あらを探す」が出てくるような物書き仕事をしている。しかし、政治批評であろうがテレビ批評であろうが、ある権限を行使してくる人・組織・完成物を目の前にした時、あらを探すのは批評の足がかりであり、時にはそのまま骨子にもなりうる。無論、あらを探せば、自分があらを探される側にもなる。あらを探している姿を見つけられ、その様子に対してあらを探される。痛いところを突かれたと後悔することなどしょっちゅう。そもそも「あらを探される側」という区分などないわけだが、あらを探される側になるのは決して「ものすごいこと」ではない。

肝心の議題の説明を怠っていた。二〇一七年、神戸メリケンパークに植樹された「世界一のクリスマスツリー」プロジェクトが物議を醸し、この企画をサポートする糸井重里、そして彼が代表を務める「ほぼ日刊イトイ新聞」の姿勢を問う声が噴出、その声に応えるように先のツイートが投稿された。

プラントハンター・西畠清順が進めたこのプロジェクトは、富山県氷見市に生えていた樹齢一五〇年のあすなろの木を掘り起こした上で、「阪神大震災からの復興と再生の象徴」とうたい、アメリカ・ロックフェラーセンターのクリスマスツリーを超える高さのツリーを立てるとの企画。クリスマスツリーに飾る、皆々から寄せられたクリスマスオーナメント数でギネス世界記録に挑戦するという。この木が撤去された後に「あすなろメモリアルバングル『継ぐ実』」と題した木珠ボウルとして販売されることが分かり、立ちこめる商売臭に対して批判が向かった（後日、販売休止を発表）。

だが、その商法というよりも、企画の動機づけからして納得しがたい。西畠が代表を務める、そら植物園株式会社のプレスリリースには、あすなろの木は「日本在来の常緑針葉樹で、木材としてよく使用されるヒノキなどに比べ、格下の木として、ヒノキになりたくてもなれない『明日』は『なろう』の木といわれ、いわば、落ちこぼれの木とされています。人知れず氷見の山奥にひっそりと自生していた落ちこぼれの木が、この瞬間に世界一輝く、夢と希望に満ちあふれた象徴の木となるのです」とある。

私たちの誰よりも長生きしてきた樹木に対し、勝手な物語をぶつける。私たちは動植物の命をいただくことで食糧や住まい等々を得ているわけで、今回のように「輝け、いのちの樹。」

（ポスター等に記されていたキャッチコピー）などと好都合に物語が用意された場合においてのみ「木がかわいそう」という声を向けるのはおかしい、と企画を擁護する声も聞こえる。だが、なんで今回だけ、は擁護としてはいささか弱い。

西畠の著書『プラントハンター　命を懸けて花を追う』（徳間文庫カレッジ）を読んでみたが、「プラントハンターの使命とは、植物の力を借りて人の心を豊かにすること」と語り、プラントハンターが命を懸けて植物を追い求めるのは「最高の花を見つけたその瞬間の、心の底から湧きあがる快感に取りつかれてしまったからではないでしょうか」と語る彼の感覚にそのまま共振するのは難しい。だが西畠は、（挑発の意味もあるだろうが）「花の奇跡を信じない人は読んでもしょうがない話」と本書を締めくくっているし、「世界一のクリスマスツリー」プロジェクトにしても「人々になにか大切なことを気付いてもらうきっかけになればと思っています。人々がこの樹を見ていろんな事を感じたり、気になったり、心配したり、議論したり…。そんなことがこのプロジェクトの最終的な目的です」と記していた。

彼の言っていること、そして今回のプロジェクトの指針が理解できないが、彼自身はこうして議論が巻き起こることをあらかじめ歓迎している、とは言える。批判が相次いだ後の言動を見ていると、否定的な見解への寛容さがあるとは思えなかったが、少なくとも「冷笑的な人」という大雑把な区分けで議論を排除しようとはしていない。メリケンパーク内のオフィシャルインフォメーションセンターで行われた糸井と西畠の対談の模様を文字起こししたサイト（実際の音声を聞いていないので不正確な可能性がある以上引用は控える）を読むと、二人はすっかり共鳴している。ただ、西畠は、自分の言動に対して、議論の余地を残している。ここは重要な点だ。

拙著『紋切型社会』（新潮文庫）で、糸井重里や「ほぼ日」に掲載される対談がただひたすら安直な賛同に溢れている違和感を指摘したこともあり、事あるごとに彼の言動について考察して欲しいとの依頼を受ける。「嫌い」というポジショントークを求められているだけのことが多く、おおむね断るようにしているが、こちらの好き嫌いではなく、今回のように、あちらのいたずらな区分けによる排除を見つければ当然言及することになる。議論する余地を残してくれていないのだから。ならば、「冷笑的な人たち」の一員として異議申し立てをしたくなる。

糸井は自社の主力商品である「ほぼ日手帳」の役割について「名づけようのない不定形のものをすくい上げる」（『ほぼ日手帳　公式ガイドブック2013』マガジンハウス）と記したことがあるが、確かに彼の「非・冷笑的＝肯定的な言語」は「不定形のもの」をほっこりほんわかまろやかに包む言葉として、そこかしこに投げられている。不定形のものを、巧みなコピーライティングやデザインの「感じの良さ」によってすくい上げられることへの苛立ちを覚えてきた私は、自分の中にある名づけようのない不定形のものくらい、せめて人に委ねず、自分で管理したいと思う。その為には、冷笑もあら探しも自分のものとして用意しておく必要がある。

世界一のクリスマスツリー自体、なかなか理解できないが、西畠が、理解しなくてもいい、されなくてもいい、という選択を用意してきたのだから、理解を目指す必要はない。糸井のツイートがそうであるように、昨今、ポジティブな言動が丸ごと礼賛され、ネガティブな言動が丸ごと批判される。ボクが信じているモノを信じてくれない人を信じない、と区分けする人を信じることなんてできない。

毒舌の在り処

坂上忍が「毒舌」と称される場面を未だに見かけるが、とっても乱雑な括りであって、これまで毒舌と語られてきた人たちまで軽視されかねないので止めて欲しいと切に願う。彼が出演する昼のワイドショーを毎日のように見届けているが、目下の人間に厳しく、目上の人間に従っていく(やがて、目上の人間はあまり出なくなった)。出演する芸能人は基本的に目下の人間に厳しいのだが、坂上は目下の人間にものすごく厳しい。この「ものすごく」の部分を「毒舌」と変換されると、「毒舌」という状態が丸ごと疑われてしまう。

以前記したように、「仕事内容を一〇個くらい列挙せよと問われれば、六番目くらいに『冷笑すること』が出てくるような物書き仕事をしている」人間からすれば、こうして自分の権限を活用するイジメっ子体質が毒舌の代表格として語られるのは困る。この時代、そこかしこに匿名の罵詈雑言が溢れており、表立って毒を吐ける状態を特別視したい気持ちもわかるのだが、目下の人にものすごく厳しい人の「ものすごく」が、自分の立場を顧みずにキチンと物申せる人といった変換で評価されるのは、「毒舌」全般を軽視しすぎている。

「毒舌」に最低限の基準を設けるならば、「目上の人間が、反論できない目下を攻撃するものであってはならない」と提示することが容易だが、それすら守らず、いや、それでもオレは言うよ、との積極性が「毒舌」を背負うのは、はた迷惑である。テレビの中核には常に「毒舌」と称される芸能人が複数名鎮座しているが、業界内の関係性によって毒素の需給が済まされているのは、本来、異様である。阿吽の呼吸で毒舌が面白がられる光景に慣れてしまった。

日本でも「#MeToo」の流れが生まれたが、その巣窟であるはずの芸能界からは告発の声がなかなか聞こえてこなかった。多くのワイドショーではハリウッド女優のセクハラ告発には触れるものの、国内の事案には触れずじまい。「毒舌」に代表される異議申し立てが、身内の承諾や力関係を逸脱しないと読める時だけ報じる姿勢が、多くを排除している。茨城県のご当地アイドルのメンバーが運営者からセクハラ被害を受けたことを告白した、との内容を報じた『バイキング』(フジテレビ系)を見ていたら、番組を取り仕切る坂上忍は、地下アイドル的な業界ではこういうことが平気で起こっているとの指摘を受け、親御さんも気をつけなきゃダメだ、との展開に持っていった。目の前にある悪事ではなく、そういう悪事の眼前に自分の娘を連れ出さないようにしなければ、と舵を切る。日本の芸能界から「#MeToo」の動きが本格的に巻き起こらなかったとすれば、このようにして、業界の権力者が、業界の中のコミュニケーションで、これが普通なのだし、との空気感を作り出したからである。

異議申し立てを得意とするはずのマツコ・デラックスも、過度な「#MeToo」運動は性の自由を脅かすとしたカトリーヌ・ドヌーヴに賛同し、「例えば日本だったら森繁(久彌)さんって有名じゃない。女優さんに『一発やらせろよ』ってお尻触るとか。『オシャレなセクハラ』って言ったら変だけど」とし、「セクハラをいままで受けたこともない、想像だけでセクハラを語っている超ブスなフェミニストと、カトリーヌ・ドヌーヴの乖離っていったらとんでもないものがある」（TOKYO MX『5時に夢中！』二〇一八年一月一五日放送）と言ってしまう。毒舌と呼ばれてきた人たちが、結局、業界内の法規を振りかざす。これでは傍若無人な人々を擁護するだけである。でも、これがこの世界の生き残る道なのだろうか。

イアン・F・マーティン『バンドやめようぜ！ あるイギリス人のディープな現代日本ポップ・ロック界探検記』（ele-king books・Pヴァイン）は、二〇〇一年から東京に移住した英国人ジャーナリストが記した一冊だが、本人が得意とするインディーズ音楽シーンの解析部分よりも、彼から見た日本の音楽業界および音楽批評への冷たい筆致がなんとも鋭い。「日本の音楽産業というのは、病的なほどにコントロールを求めてくる」と、その構造を嘆きつつ、「日本では、公然と否定的なレビューというのは大体においてタブーとされる」し、「音楽メディアの中に明らかな利害の抵触が存在して」おり、「批評家とアーティストの間にあるクリエイティヴな緊張感を奪われることになる」と断じている。そうやって、「批評家が音楽産業の代弁者として機能してしまう」ことによって、「結果として音楽は均質化され希釈されたものになってしまう」のだ。このテキストを読んでも、多くの業界人は、そんなこと知ってる、わざわざ言われなくてもわかっている、と言うに違いない。音楽雑誌のビジネスモデルが変容し、フェスティバルを運営する雑誌ともなれば、インタビューの一部が掲載料を要求する広告記事と化している。金銭を支払った対価は、精一杯持ち上げます、である。そのテキストとは、「希釈」そのものだ。

批評が、作品と対峙するのではなく、業界と対峙するようになると、書き手は、個性的な代弁者を目指し、業界人におもねる文脈作りと業界分析ばかりに勤しむようになる。イアンが記した音楽業界の構造悪は、テレビの世界でも出版の世界でも、そのまま適用できる。批評家がある特定の産業の代弁者になった結果、産物が均質化され希釈されたものになっていく。それこそ坂上忍の存在が分かりやすいが、毒舌が業界内で済まされると、その毒素は権限の強いものには向けられなくなる。安っぽい例ではあるが、落語家が不倫をしても芸の肥やしで済まされるのは、業界内の力関係の典型例だろう。

ノエル・キャロルは『批評について　芸術批評の哲学』（勁草書房）の中で、「こんにち提出されている批評理論の多くは、主に解釈（interpretation）の理論」だが、「わたしは、価値づけ（evaluation）こそが批評の本質だと、それもとりわけ、芸術のカテゴリーやジャンルに照らし合わせながらなされる価値づけこそが、批評の本質だ」としている。理由に基づいた価値づけをしなければ、芸術家の側からしてみれば、批評家は「機知に富んだ辛辣な言葉づかいで尊大ぶって話す人」とされてしまう。それゆえに、批評の主たる機能とは「作品のうちの何が良いのかを言うことだ」とするのだが、本当にそうだろうか、とひとまず疑う。

尊大ぶっているのはどこの誰なのかを探ると、批評する側ではなく、批評の存在を弾き飛ばそうとする側にあると感じることが多い。批評家・ジャーナリストを名乗る人たちが、当事者周辺のオフィシャル案件を請け負うことが増えている。その仕事を安定的に得るための立ち居振る舞いも目立つ。オフィシャルインタビューの聞き手を務め、招待を受けてライブレビューを書くことが、「批評」の到達点ならば物悲しい。拮抗しなければいけない相手に、素直に従属していくのが到達点として共有されているからなのか、そうしないだけで「辛辣な言葉づかいで尊大ぶって話す人」に位置づけられてしまう。自分たちの枠組みの中で毒舌を済ませようとする組織に、従順な批評家が招かれる。批評ではなく、分析によって新たな価値づけが付与されるのを、表現者が待望する。当人の認可を待ち焦がれながら書くのって、批評なのか。

紅白歌合戦で、明らかに働かされすぎている欅坂46のメンバーの何人かが倒れると、一人は気を失うほどの事態に陥ったにもかかわらず、番組終了後すぐに、笑顔を取り戻した集合写真がTwitterに投稿され、スポーツ新聞を中心に、もう大丈夫だとのニュース記事を血気盛んにアップした。公然と気を失っても、それを心配するのではなく、もう大丈夫を優先する。

業界の構造なんてものは、業界の内部の人間だけが知っていればいい。その構造に乗っかったまま、外に情報伝達する仕事が批評家ならば、そんなに情けないこともない。今、「安心して下さい、肯定しますよ」というプレゼンが業界の中で抜群に受ける。褒めてくれますよね、とのコンセンサスを求めてから始まる仕事も多い。否定できる可能性が用意されないものは疑るようにするが、すると、たちまち偏屈な人だとの評定を頂戴する。

毒舌を内部で済まし、外部から賞賛だけを取り込む。ものすごく普通のことを言うけれど、外部から毒のある言葉を投じることを、あまりにも簡単に諦めすぎではないか。内部に招かれることを、あまりにも簡単に許しすぎではないか。簡単に諦めて許すと儲けやすくなるのは知っている。でも、原稿を事務所にチェックしてもらってまで、掲載してもらいたくはないと素直に思うのだが、これも、偏屈、なのだろうか。

第5章

メディアの無責任

まだ偉いと思っている

自分は、編集者時代も含めて、一五年以上は出版業界に生息しているので、この業界に強い思い入れがある。でもその思い入れを世の中全体の基準だとは思っていない。多くの人は、出版業界のことなんて、そんなに考えてはいない。読みたい本があれば買う、なければ買わない、っていうか、最近、あんまり本買ってないな、のほうがむしろ基準だろう。だからこそ、出版社の社長が作家の初版部数をTwitterに晒しながら訴訟を匂わせたり、売れっ子作家が引用・参照資料を示さずにWikipediaなどからコピペを繰り返していたり、業界内で名前のある文芸評論家によるセクハラがうやむやになったり、自分の偏見を書きなぐった原稿をきっかけに歴史のある雑誌が潰れたりするのが許せないのである。業界の一部が困ったことになっている、と見るのは業界の内部だけであって、業界の外は、いくつかの事象を見聞きして、テキトーな業界だなと考える。それが嫌なのだ。出版界だけではない。メディアの中にいる人間が、自分たちはまだ偉い、まだ特別だと思っているからこそ、こういった問題が放置されるのではないか。実に無責任である。

ヤクザ原稿が掲載拒否された

この本は雑誌『文學界』での連載をまとめたものだが、当初、編集長から「爺殺し」というタイトルで連載を始めませんかと誘われた。年配の作家の作品をほめ殺しせよ、との指令かとたじろいだが、「頑張ります」と勇んで返答したら、「爺殺し」ではなく「時事殺し」だった。

このところ、時事問題は殺す・殺されると呼べるほどの緊張関係に陥ることは稀で、むしろ、早いところ国民に忘れてもらおうとか、謝ったんだからもうその話をするのはやめようぜとか、問題と直面することを回避しようと逃げ回る後ろ姿を追いかけて肩を叩くのが、時事考察の主作業となった。〝未来志向〟の政治家たちはその行為を揚げ足取りだと煙たがり、その支持者たちはお花畑だと蔑んでくる。

こうして議論の場に連れ戻すだけでも労苦が生じる時代、逃げていく背中をそのまま放っておく判断が一丁前の忖度として機能してしまう。連載開始に合わせるかのように巻き込まれた案件を、例題として考えてみたい。

二〇一五年秋からNewsweek日本版のウェブサイトで「ニュースの延長戦」と題した時事コラムを隔週で連載していた。明けた二〇一六年の新年一発目の原稿として、公開されたばかりの映画『ヤクザと憲法』についてのレビューを寄稿したところ、担当編集者から「編集部で考慮した結果、掲載を見合わせることにしました」との連絡が来た。書き手への相談無しに掲載見合わせの決定を通知してきた。主な理由として「場合によっては暴対法の精神そのものへの疑義を呈していると受け取られかねない」とある。このまま言葉を失っているだけでは先方の「忖度」を追認することにもなると、しばらくしてから気付く。あちらはこちらの意向など構わず、メールの一通目で掲載見合わせを一方的に決定している。ならばこちらも一方的に議論を進める。以下は、掲載不可となった原稿を一部織り交ぜて構成してみる。

大きな反響を呼んだドキュメンタリー映画『ヤクザと憲法』（東海テレビドキュメンタリー劇場・第八弾作品）。ヤクザの事務所でカメラをまわした映画だが、中の世界を知らない私たちが彼らに対して身勝手に調達してきたイメージを一つ一つ裏返しにしていく。

カメラが入ったのは大阪の指定暴力団「二代目東組二代目清勇会」。わずか三〇人足らずの組員が集う事務所に転がっているナイロンバッグを見つけて、わざとらしく「マシンガンとかでは?」と問うと「マシンガンなんか置いておけるわけないじゃないですか!」と返し、「いざって時はどう……」と問うと「テレビの見過ぎとかそんなアレじゃないですか?」と返ってくる。

森達也がオウム真理教を追ったドキュメンタリー映画『A』を撮った際、多くの人から「よく施設内に入れましたね?」と問われたが、「撮影させてください」と手紙を書いてお願いしたのが自分だけだったに過ぎない、と語っていたエピソードを思い出す。

本作は、敵の正体を暴いてやると入り込んでいくわけではない。もちろん、味方かもしれないと引き寄せるために入るわけでもない。頼み込んでヤクザの事務所にカメラを向けさせてもらった、ただそれだけなのだが、それだけだからこそ、咀嚼したことのない嚙み心地が続く。

清勇会会長・川口和秀はクルーを連れて、新世界にある居酒屋に入る。酒焼けした声で「惚れてんねんけど、あかんゆうねん」と笑うお店のおばはん。中川家礼二が今にも真似しそうな、典型的な大阪のおばはんだ。「(暴力団の会長であることは)怖くないですか?」とディレクターが問うと途端に真顔になり、「なんで怖いん? あんたそんなもん、怖かったら生きていけへんでこの新世界で」「(会長が)守ってくれる。警察が何守ってくれんの?」と神妙な顔。

撮影前の交渉で、会長に対し、「取材謝礼金は支払わない」「収録テープ等を事前に見せない」「モザイクは原則かけない」という、彼ら側には不利が積み重なるような取り決めを伝えたところ、何一つ異存なく受け入れたという。一体なぜ、このような悪条件を受け入れたのか。

本作品のタイトルに「憲法」が浮上してくるわけは、暴力団排除条例による暴力団の締め付けが厳しくなり、組織が収縮している現状から派生する議論にある。彼らの多くは引越もできなければ、銀行口座も開けない。子供を持つヤクザは給食費を手持ちで持っていかせることになる。ひとりだけ現金で持っていけば、あの子はヤクザの子だとバレる。そもそも親がヤクザと分かれば幼稚園からは入園拒否される。保険にも入れない。宅配便が届かない。出前も注文できない。規制強化によって、日常生活がままならなくなる場面が増えた、と重ねてくる。

彼らの訴えをひとまず受け止めて、このドキュメンタリーは「憲法14条 すべて国民は、法の下に平等であって、人種、信条、性別、社会的身分又は門地により、政治的、経済的又は社会的関係において、差別されない」をぶつけていく。ヤクザもんの人権なんてどうだっていい、という〝正論〟は果たして丸ごと正しいのだろうか、と問う。

ヤクザの事務所にカメラが回る光景に慣れると「ヤクザにも人権はある」という彼らの主張に、何の躊躇もなく頷きそうになる。見終えてから、そんな自分の体感を疑る。集団で人々の人権を踏みつぶしながら組織を成り立たせてきた彼らが、「人権」と話し始めることへの違和感を消すべきではない。

しかし、彼らへのポップな嫌悪感を厳密に法に照らすと、人権侵害になり得る可能性が浮上してくる。憲法14条をほぐしてみると「ダメなヤツらなんだから何もかもダメでしょと扱ってはダメ」との意味合いが含まれている。ならば問わなければいけない。「カタギになれば済む話ではないのか?」という意見は、意見ではなく逃避だ。作家・宮崎学は「取り締まりを強化するだけでは、マフィア化するヤクザが増えるだけ」と語る（東京新聞・二〇一六年一月四日朝刊）。善悪、あるいは有利・不利の二元論でしか判別しない人は、悪の組織を利する映画などと浅はかな評定を下すのかもしれないが、それは、このドキュメンタリーが覚悟を決めてこじ開けた扉を無闇に閉じようとする、傲慢な態度である。

Newsweek の見解、「場合によっては暴対法の精神そのものへの疑義を呈していると受け取られかねない」は危うい。定められている法律について、その精神そのものへの疑義を呈してはいけないとする考え方は優等生すぎる。私は、暴対法の〝行き過ぎた〟精神への疑義を抱いているし、慎重に問われるべき問題が転がっているのではないかと考える。それが「暴対法の精神そのものへの疑義を呈している」と拡大解釈されてもやむを得ないとも考える。あらゆる現行法に対して、その都度の社会情勢等と照らしながら争議を行うことを放棄するべきではない。

媒体の善し悪しをジャッジしたいわけではない。単なるレビュー記事が、身勝手な想像力による忖度によってかき消されてしまうことを許す土壌が怖いだけだ。でも今は誰が何を言ってくるか分からないからさ……といった類いの予測を漏らして黙り込んではいけない。その結果として表出するのは、敵が敵として必要以上に露呈する社会ではないか。いくつもの視点と思考を投じることで選択肢を担保しながら検討し続けるプロセスを見せつけてくれた映画だったが、手持ちの忖度で剝奪するのだから解せない。

この時代に漂う忖度を振り払うように作られた映画が投じた「ヤクザの子供に人権はないの？」というメッセージは重い。今回の掲載拒否は、こうした作り手の動機から覆す判断に違いないので、恨みったらしくぐずぐず記す。先方はお怒りになるだろうが、書き手への相談無しに原稿掲載を見送った以上、本原稿についてこちらから事前に相談することは控える。

ヤクザの生活は見えない。見えないから怖い。今回の映画でようやく垣間見えた。見えたら見えたで怖い。「見えないから怖い」と「見えたら怖い」が併存する奇天烈を、ヤクザ側だけに押し付けるべきではないだろう。

危ういものをシャットアウトして自分たちの安全だけを守る、そんなことばかりが続いている。時事を考察すべき側が、時事を殺しているのだ。自分たちの正しさばかりを撒布して、適応できるものだけを拾い上げる行為をジャーナリズムとは呼ばない。自分の頭ん中にある正しさが揺さぶられる映画『ヤクザと憲法』。この稀有な取り組みを殺す、とってもだらしない判断だった。

『FAKE』の「裏側」？

ともすれば、もういいよ、と読み飛ばしたくなるほどに森達也監督『FAKE』についての言及を見かけているはずなので、最初から惹き付けるための素材を提出すると、私は一時期この『FAKE』の撮影に同行し、佐村河内守とも何度か対面している。

森達也が佐村河内守に密着した（との形容は誤読を招くが）映画の起点は、ある編集者が森に佐村河内についての書籍執筆を提案したことにある。本人と顔合わせした森は、書くのではなく撮る、との意向を示した。

森の書籍企画が進んでいないことを知った別の編集者が私に「これから撮影に同行し、書籍としてまとめることはできないか」との提案を投げてきた。森も承諾したというのだが、前職の編集者時代、いくらかの短い原稿を依頼してきた旧知の間柄ということもあり、新たに飛び込んでくる人材として動かしやすいとの判断があったのかもしれない。

何度か対面する中で、現時点から本企画を追いかけ直すのは難しいし、このままでは森達也の作意に翻弄されると判断し身を引いた。いざ完成した作品を見て、自分の映像が使われていないことに安堵してから語り出す腑抜けには我ながら呆れるし、実はあの時、と饒舌に語れるほどに対話を重ねたわけでもないのだから、「実は……」の吐露は、自分についての範囲に留めたい。

サングラスを外し、ロングヘアを切り、どこぞの管理職のような落ち着いた風体で現れた佐村河内に詰問を重ねた記者会見で、この騒動のきっかけとなったスクープ記事を執筆したノンフィクション作家・神山典士と佐村河内は、こんなやり取りを交わしている。

――なぜ（サントリーホールのコンサートで少女に）義手を外せと言ったのか。

佐村河内「サプライズで義手のヴァイオリニストが登場したら、みんなが感動してくれると思いました」

――彼女の障害を使って感動させようとしたのか。

佐村河内「感動すると思いませんか？」

――舞台の上で義手を付ければ感動すると？

佐村河内「僕はそれでよかったと思います」

――（本来音楽は）義手に感動するのではなく演奏に感動するのではないか。

（神山典士『ペテン師と天才』文藝春秋）

森にも佐村河内にも伝えたが、この答弁は、応対としては実にヘタクソだが、とても素直だた。

と思えたし、この答えをきっかけに「反省もしない卑劣なペテン師よ!」とフラッシュを焚き始める様子は、メディアお得意の付け焼き刃の正義感が発芽する瞬間を見たようで心地悪かった。

障害を使って感動させていたのではないかとの問いに対して、そんなわけないだろ、と切り返すのが応答としては無難。でも佐村河内は躊躇せずに「感動すると思いませんか?」と返した。報道陣は失笑に憤りを混ぜ込んだ反応を続けたが、ヘタクソな応対に少々そそられた。『FAKE』でも、至るところで彼のヘタクソな(というか上手くない)応対が露見するが、「こういう風に言えば、こういう印象を与えられる」と容易に思い立つ場面でも、彼はその振る舞いを探さない。もっとうまくできるはずなのに、と思う。そう思った後で、なぜ「うまくできる」ことを前提にしているのか、と自分に対する疑問が湧く。常識や慣例を真っ先に欲しているのは私のほうなのではないか。

義手を付けているヴァイオリニストが出れば「感動すると思いませんか?」と返して失笑された会見から、半年経たずに放送された日本テレビ『24時間テレビ』の企画を覗くと、「義足の少女が挑む富士登山」とある。内容紹介には、左足を持たずに生まれた女性が「自分に自信をつけたい、両親に強くなったところを見せたいと富士山登山を決意」し、その模様を「日本が誇る世界遺産の大迫力の映像と共に」お伝えするとある。

障害に負けずにチャレンジするこの手の企画が毎年漏れなく用意される。こういう機会を作ることで当事者の方々の頑張りが伝わるのはとても有用だと思う。しかし、番組の感動は毎年同じ手癖で引っ張り出されている。なぜ繰り返すのか。先ほど引用した佐村河内の答弁を繰り返すのが、過不足ない説明になるのではないか。つまり、「感動すると思いませんか?」だ。

この番組が毎年挟み込むスペシャルドラマの題材は毎年偶然にも闘病や障害をテーマにしたものだが、日本テレビはこの番組の存在について、「テレビの持つメディアとしての特性を最大限に活用し、福祉の実績や支援の必要性を伝え推進するため、1978年から毎年放送されている」と位置づけている(傍点引用者・日本テレビウェブサイト)。

福祉の実績や支援の必要性を伝え推進するための試みが、毎年繰り返される障害を持つ方々のチャレンジ企画や闘病ドラマだとするならば、「テレビの持つメディアとしての特性」の理解に対して疑問を持つ。もし疑問を持たないのならば、佐村河内の「感動すると思いませんか?」に頷くべきだろう。

編集者時代、あるTV局が「恒例の番組内のドラマ企画の原作となる小説を探している」との話が人づてに入ってきた。その条件はなんと、闘病モノであること、だという。ここはひとつ、テレビが持つメディアとしての特性を最大限に活用しながら、福祉の実績や支援の必要性を伝え推進するために、こちらから案出しをしよう、と勇むはずなどなく、このルーティーンワークが仕立てる感動の正体とやらに、ほとほと呆れてしまった。佐村河内の「感動すると思いませんか?」に対して、誰が怒り、嘲笑できるのだろうか。

『FAKE』を観た神山典士の論考「残酷なるかな、森達也」がBLOGOSに掲載された。「森作品は、オウム真理教事件や佐村河内事件といった『メディアクライシス』がないと成立しない。数多のメディアの視線にさらされた被写体の裏側からメディアを、世間を逆照射することしか方法論を持たない」とし、森の作品は「過去の自作の再生産の繰り返し。それはクリエイターたる者の姿勢だろうか」と疑問を呈している。残念な論評だ。

この映画には、そもそも一つの事象をある一定の「側」から見ることへの疑義が通底しており、それは劇中で森自身が執拗に佐村河内を揺さぶり、時に放ることからも明らかである。「被写体の裏側」から「世間を逆照射」しただけの作品ではない、と伝えることに丁寧な作品だった。そして、あらゆる表現は、その度合はそれぞれでも「過去の自作の再生産の繰り返し」という意味を含むのではないか。

森がパンフレットに寄稿した文章は、「様々な解釈と視点があるからこそ、この世界は自由で豊かで素晴らしいのだと」と締めくくられている。作品の仔細を考察されるのを避けようとするきらいはあるものの、この映画が、距離は近くとも「裏側」に立つものではないと重ねて知らせているし、様々な解釈と視点を投じることで、そもそも表側や裏側と形容される時の「側」とは何かを根から問うていく。森は、事あるごとに二項対立で済ませてはいけないと書いてきたが、この映画ではその先へ踏み出すように、「側」や「項」という概念を溶かそうと試みる。万事が「表側」と「裏側」との単純構図で処理されることを疑う映画に、これは裏側から照射しただけ、という分析はいかにも弱い。

この映画はジャーナリズムの定例に準じた作品ではない。むしろその定例を重ねる手癖や慣習を疑る映画だ。ついつい、同行した者として……と漏らしたくなるが、事情通気取りの種明かし風エピソードなど無意味だ。真実や真相を欲する態度、つまり、解答の明度を求め、それが成されている・成されていないで判別すべき映画ではないからだ。「誰にも言わないでください、衝撃のラスト12分間。」という、安手とも思えるコピーを敢えて使ったのは、大きな感動や壮大な物語ばかりを求めてきた手癖への挑発ではないか。

最初に「オレはパーを出すからな」と宣言してじゃんけんに臨んでくるような映画だ。あっちが本当にパーを出して、こっちがチョキを出したところで、どうも勝った気がしない。森達也に翻弄される作品だが、これを「裏側」と分析しては映画の力が弱まる。

そして、この映画を通り越してもなお、佐村河内の「感動すると思いませんか?」は、手つかずのまま頭に居残っている。これからも、あんなものとは違う、と繰り返されていくのだろう。一体それは、あんなものとはどのように違うのだろうか。

「からかい」の質

書店を覗けば、武藤正敏『韓国人に生まれなくてよかった』(悟空出版)や恵隆之介・渡邉哲也『沖縄を本当に愛してくれるのなら県民にエサを与えないでください』(ビジネス社)といったタイトルの本が堂々と並んでいる。

わざわざ青臭いことを言うけれど、本は、著者と編集者が切磋琢磨してようやく出来上がるもの。ようやく完成した、という瞬間を著者と編集者が分かち合う時に、その本のタイトルが『韓国人に生まれなくてよかった』で、著者や編集者は嬉しいのだろうか。嬉しいのだとしたら、双方共にどうかしている。安手の感情論をぶつけてしまうが、どこまでも安手にしないと、本の存在理由を問う設問自体が浮かんでこない。それなりの時間をかけて、あからさまな暴力を作り上げる気が知れない。

この手の本や雑誌記事を読んでいると、文句や皮肉や批判がいつまでも乱雑であることに驚き続ける。日頃、原稿に文句や皮肉や批判を盛り込む事が多いものだから、そのそれぞれが、時には品格すら備えて放たれてきた批評や時評の歴史を無視し、猛スピードで錆び付かせてしまっているのが全く困る。営業妨害である。文句や皮肉や批判って、もっと慎重な考察を経たものだ。

自分より強きものに対して具体的な文句をぶつけるのではなく、自分を安全な場所に置いて漫然と糾弾する。「生まれなくてよかった」「県民にエサを」にはその姿勢が表出しているし、百田尚樹『今こそ、韓国に謝ろう』（飛鳥新社）、はすみとしこ『それでも反日してみたい』（青林堂）など別のタイトルを並べれば、嘲笑の作法がいかに稚拙かが透けて見える。書店によっては、この手の本が店頭を席巻する状態を諦めていると感じる書店もあるが、それって、暴力を放任しているということ。暴力って、放任してはいけないはず。このようにして、こちらの意見が基本的なところをなぞるばかりでどうしても稚拙になるが、あちらが目一杯稚拙なのだから、こちらが稚拙になるのも致し方ないところ。

森友学園問題と加計学園問題で私たちが得た利益といえば、森友学園の国有地価格引き下げ問題で「資料を破棄した」などと言い逃れを繰り返していた財務省の佐川宣寿理財局長が国税庁長官に栄転したことを受け、当然、これからは納税時に領収証の添付が不要になり「破棄しちゃいました」としらを切ることが可能になるに違いないこと。国家が書類を破棄しまくるならば、末端のフリーランスに破棄を咎めることはできまい。

その唯一の利益を除けば、各方面の「うやむやなままにしようぜ!」との結託がそのまま通ってしまった状態にある。森友問題は安倍昭恵の、加計問題は加計理事長の証人喚問がそれぞれ必要だったが、首相は「丁寧に説明する」と繰り返す事で丁寧な説明を避けるという、頓知のような答弁を繰り返すのみ。マスコミの印象操作には騙されないという印象操作を繰り返し、限られたワードの連呼で煙に巻いてみせた。「丁寧な説明」と「印象操作」で、すっかり大きな山を越えたつもりでいるらしい。

説明できていないことがありますので説明してください、という単純な要求が続いただけなのだが、政権に近しい論者達の弁舌に耳を傾けてみると、さすがに政権を少々問題視しつつも、安倍の回避ワードである「印象操作」を用いながら、鈍い言い訳を繰り返している。内閣支持率が下がった理由を「それはまさに、世間でよくいわれるメディアの印象操作でしょう」とした竹田恒泰は「私にいわせれば、いわゆる加計学園問題に関しては、何ら疑惑は存在していません。この問題への批判は、安倍総理と加計学園の理事長が『お友だち』であったことだけ。

二人が『お友だち』でなければ、最初から何の問題にもなっていなかったわけです」(「加計問題に疑惑など存在しない」『Voice』二〇一七年九月号)と言う。無理がある。

著書に『約束の日　安倍晋三試論』(幻冬舎文庫)のある小川榮太郎は、森友と加計問題は「国会論戦や政策論争、政権不祥事の究明のいづれとも関係なく、事実不在、国民不在、政治不在、国家不在のまま、一部マスコミと国会が結託すれば、どこまで日本の政治を壊せるかといふ内乱の予行演習に他なりませんでした」(「拝啓　安倍晋三さま」『正論』二〇一七年八月号)と書いた。事実不在、国民不在、政治不在、国家不在だそうである。人間は都合の悪い事を忘れようとする生き物ではあるものの、さすがにもうちょっと丁寧に忘れていく生き物だとは思う。

フリージャーナリストの伊藤詩織がレイプ被害を訴えてきた相手であり、不起訴になったことを不服として検察審査会に審査申し立てをされたのが元TBSワシントン支局長でジャーナリストの山口敬之だが、彼は「北朝鮮有事が現実のものになりつつあるこの状況下で、森友狂想曲が展開された。これは、危機から目を逸らすために意図的に行っていることなのではないか」「辺野古の米軍基地移設反対運動にハングルの看板が掲げられているようなことと、北朝鮮の危機の本質を報じないメディアの体制は本当に無関係なのか」(山口敬之×阿比留瑠比「安倍官邸、緊迫の五十日間」『月刊Hanada』二〇一七年六月号)と、憶測を断定調で告げてしまう。朝日新聞で「保守の立場から」(プロフィール欄より)書かれた佐伯啓思のテキストを覗いても「加計学園問題がそれほど重大問題だとは私には思われない」「野党もメディアも、実は『事実』だけを報道しているわけではない。個人的事情によって行政を歪めたと推測し、その推測を根拠に、政府の説明責任を追及している」（朝日新聞・二〇一七年八月四日朝刊）とある。

社会の健全化を阻害する者たちに異議申し立てをするのは、どういう思想信条であろうとも物書きに共通する姿勢だと思っているのだが、こうして並べてしまうと、物書きの仕事って、大きなものに迎合するために、その大きなものの隠蔽がバレないよう、体を張ってお守りすることだったんだっけ、と思えてくる。強い力を行使できる人がキナ臭いことを企み、それを明らかに隠し通そうとしている時に、疑ってかかる側に「証明せよ」と凄んでいく。批判する順番が違う。放任する順番が違う。いいや、そんなこと言ってるマスコミはどうなんだ、という姿勢が、為政者の横暴を許している。結果、政治家が用意した道をジャーナリストが律儀に歩いてしまう。

先に発表された芥川賞で、候補作の一つだった温又柔「真ん中の子どもたち」について書かれた宮本輝の選評に疑問を持った。言葉の越境をテーマにした小説に対する選評として、宮本は「これは、当事者たちには深刻なアイデンティティと向き合うテーマかもしれないが、日本人の読み手にとっては対岸の火事であって、同調しにくい。なるほど、そういう問題も起こるのであろうという程度で、他人事を延々と読まされて退屈だった」と書いた。これは小説の否定ではなく人種の否定であり差別発言であり、新進作家の小説から最も優秀な作品に贈られる賞の選考委員がこういう考えを持っていては、新進を塞いでしまう。この点をツイートすると大きく拡散され、なかには快く思わないツイートもあり、その中で最も多くのリツイートを集めていたのが、じゃあ、以前に流行語大賞の候補になった「日本死ね」はいいのか、という内容のもの。頭を抱えてしまう。まったく矛先が違う。権限を持つ人間が言葉で塞ぐ行為と、切なる訴えに含まれていた文言を同一視できるはずがない。

こちらの原稿を肯定的に捉える人の中にはこんなコメントもあった。「武田砂鉄は『文學界』にコラムを連載しているわけで、腹を括っての論考だと思います」。えっ、そうなの、と驚く。「深刻なアイデンティティと向き合うテーマ」を「日本人の読み手にとっては対岸の火事」と書いた姿勢を指摘するのは、腹を括るほどのことではない。

乱雑な文句や皮肉や批判が溢れた結果、ただそれを向けることに対して、無駄に勇気が求められていやしないか。右派論壇なるもののおおよそに賛同できないが、それだけではなく、先述してきたような緩慢な悪口の連呼によって、文句や皮肉や批判を投じる行為のハードルがあがっていることについて、嘆かわしく思いたい。差別発言をした人に対して「それは差別だ」と指摘するのに、なぜ腹を括る必要があるのか。体制側が用意した道を安穏と歩く人が「ジャーナリスト」を名乗る時代、「からかい」の質が落ちていないか。

ライターは舐められている

インタビュー取材させて欲しい、と見知らぬウェブ編集者からメールが来る。記事のタイトルがアクセス数を決めるからなのだろうか、これで進めるつもりだというタイトルがあらかじめ決まっている。「芸能コラムニストに聞く『普通男子が星野源を目指してもモテない』理由」だという。

これまで一度たりとも自ら「芸能コラムニスト」を名乗ったことはないし、原稿の確認段階で「コラムニスト」と書かれている紹介文があれば全て「ライター」に直してきた。つまり先方は、というか、見知らぬ編集者は、こちらから頼んだわけでもないのに、ライターの自分に新しい肩書きを付与してくださっている。そして、「普通男子」とは一体何を指すのだろう。男子、若者、日本人といった大きめの主語で勢い任せに括り、その主語が持つ力にすがりながら大胆な分析に酔いしれる浅はかな論旨を嫌悪してきた身としては、こういったものに少しも加担したくない。しかしどうやら、容易く答えてくれるはずの「芸能コラムニスト」から断られることを先方は想定していないようで、内容についての具体的な要望も記されている。「『星野源が絶妙にモテる理由』や『普通の男子がそれを真似しても駄目な理由』などを分析していただけますと幸いです。取材方法はメールまたは電話を予定しております」（傍点引用者）だそう。

皆様の想像通り、ライターという職種はしょっちゅう舐められるのだが、具体的にはこのように舐められるのである。一度も名乗ったことのない肩書きを躊躇なく投下され、「普通男子」という、朝方のワイドショーが渋谷のスクランブル交差点を行き交う人々の声から適当に抽出したようなトレンドワードを背負わされる。人に対して「絶妙にモテる」や「真似しても駄目」という前提を共有するのはメールや電話では難しい。「○○男子」「○○女子」といったカテゴリを乱造しては、「数撃ちゃ当たる」方式でトレンドセッターを気取る面々は、この手の連射によって雑文書きの肩書きを脱皮してステップアップを試みるのかもしれないが、こちらはそんなステップに一切の興味を持たないので、階段を用意されたところで願い下げである。

IT会社・DeNAが運営していた医療情報サイト「WELQ（ウェルク）」に掲載されていた不正確な情報記事が問題となり、サイトが丸ごと非公開となったのを皮切りに、同社運営の他サイトや、他社のキュレーションサイトが軒並み非公開や一部記事を消去するという事態に発展した。WELQの杜撰さは、「肩の痛みや肩こりなどは、例えば動物霊などがエネルギーを搾取するために憑いた場合など、霊的なトラブルを抱えた方に起こりやすいようです」と一つの掲載例を記せば分かってもらえるだろう。

DeNAはこれまで、誰でも自由に書き込める「キュレーションサイト」なので、自分たちは記事作りには参加しておらず、場を提供しているに過ぎないというスタンスを持っていた。駐車場にある「駐車場内での事故は一切の責任を負いません」という貼り紙のような態度だ。しかし実際には、検索の上位にくるような文言を入れるように指示をした上で、外部のライターに記事を乱造させていた。同じくDeNAが運営していたファッションサイトの「MERY」で記事を書いていた元インターン生の弁がwithnewsに出ている。「90分に記事1本書くことがノルマ」で、「記事全体の説明文には内容を示すキーワードを2回以上ダブらせる、画像を多用し記事にキーワードを10個以上入れる」こと、そして「食べ物なら『食べログ』、化粧なら『@cosme』……など参考リスト一覧が網羅」されていたという。時給は一〇〇〇円程度だったそうだが、だとすれば一つの記事は、一五〇〇円程度の価値だと認識されていたことになる。

記事の非公開を決めた時点で代表取締役社長兼CEOの守安功は、各サイトの「マニュアルやライターの方々への指示などにおいて、他サイトからの文言の転用を推奨していると捉えられかねない点がございました。この点について、私自身、モラルに反していないという考えを持つことができませんでした」との声明を発表している。「もう恋なんてしないなんて言わないよ絶対」と続く歌（「もう恋なんてしない」作詞・作曲 槇原敬之）を思い出すほどに、「モラルに反していないという考えを持つことができませんでした」という反省の回りくどさが気になるのは、ライターの性なのかどうか。

更に気になるのは広報の弁だ。「ほかの記事を参照するときには第三者の権利を侵さないよう求め、丸写しをチェックするソフトも導入して確認していたが、不十分だった。今後はチェック体制を改める」（傍点引用者・朝日新聞・二〇一六年一二月一日朝刊）とある。なかなか腹立たしい。ぶっちゃけた言い方に変えてみれば「丸写しで書こうとする愚かなライターを弾くためにパクリ防止策を導入していたのだが、それでもパクるライターがいるので今後はもっと厳しくします」との見解だったのだ。

「モラルに反していないという考えを持つことができ」なかった代表取締役社長兼CEOの姿勢と広報とは連携していないようだが、この窮地に企業が背負わなければいけない責任の総量を少しでも軽くするために、ライターという軽視された存在を更に軽視する見解を出してきたのは、なかなか許しがたい。あくまでも当社に責任があり、ライターの皆様にはご迷惑をおかけした……とするのが、取り急ぎの誠実を醸成する手段になるのだろうと予想していたが、あくまでも愚かなライターを問題の根源とした。

ライター諸氏が、こういったキュレーションサイトで原稿を書いているライターごときと一緒にされるのは困る、と憤るツイートやブログをいくつも見たのだが、真っ先に憤るべきは、こういうサイトを運営してきた企業が、この期に及んでも「ライターごとき」という態度を企業ブランドの最低限の保持に用いてきたことに対してではないか。

このところ、オンラインサロンなるものが流行っており、ある程度の固定客が見込まれる物書きや、正体の見えにくい（あるいは、見せない）横文字の肩書きを持つ人たちが、会員制で限定コンテンツを配信し、時にはオフ会を開いてコミュニケーションをとる、という。なかなかの儲けになるそうだ。あろうことか、その手の企業からサロンを開きませんかと誘いのメールが来てリンク先を見てみると、そこには「コンテンツ消費の原点は『体験』であり、そこに生まれる『熱狂』の共有や共鳴の連鎖に大きな価値が宿ります」とあった。コンテンツという言い方にはいつまでも馴染みたくないのだが、創作されたものが共有や共鳴によって価値を持つと決定づけられる風土を受け入れたくない。というわけで、もちろんお断り申し上げたのだが、誰でもなれる職業と化した「ライター」からの脱皮を要請された感じがして心地悪い。

ライターとして生き残るためには、といった類いの講座もあちこちで開かれていて、その模様をまとめた記事に目を通すと、ライターに必要なのは「共感力」と書かれ、補足説明として「文章力・企画力・構成力…よりも先に、必要なスキル」（WEBサイト「エレキホーダン」）と添えられている。『仕事を発注したくなる』ライターの要素は?」には「メディアらしさを考え、提案したり、提案をさらに提案で返してくれる」「クライアントの収益モデル、弱み・強みを理解し、コミュニケーション」などの項目が並ぶ。PR記事をクライアントの指示通りに仕上げるライターからすれば、腹の底に渦巻く邪念を汲み上げるように原稿を書く自分のようなライターこそ外道なのかもしれないが、ライターが誰かとの共感への近道ばかりを探っているならば呆れ果てる。

「『普通男子が星野源を目指してもモテない』理由」と題した記事を、あらかじめ要請された「星野源が絶妙にモテる理由」や「普通の男子がそれを真似しても駄目な理由」といった内容で書いてしまうからこそライターは舐められる。共感力を問われ、閲覧数で計測される。用意したレールの上に乗せるようにライターへ指示を出し、要請に応えてくれた記事を大量にアップし、編集のノウハウも持たずに物書きに責任を投げっぱなしにしてきた軽薄なメディアから、「今後はチェック体制を改める」と言われてしまう。

自分たちはあんな媒体に書いている物書きとは違うのだ……それはもちろんその通り。だけどその前に、これほど軽視されている「ライター」という職務全体への危機感を持たなければならない。あまりにも舐められている。共感力を磨き上げている場合か。

出版界の特権意識

出版界は身内に甘い。いや、どの業界も身内には甘いのだろうが、この業界の役割の一つにジャーナリズムが残されているならば、言葉を用いて悪しき行為を厳しく指摘し、周知させなければならないのであって、その厳しい言葉を自分たちの業界にだけ向けないでおく、との判断を晒せば、どうしたって甘さが浮き彫りとなる。

財務省の福田淳一元事務次官が女性記者に対して「胸触っていい？」などとセクハラ行為に及んでいたことが発覚し、福田は辞任に追い込まれた。組織の首長である麻生太郎大臣含め、半笑いで逃げ回る事後対応はあまりに嘆かわしいものだったが、ありとあらゆる活字メディアは、彼や組織の言動を突く記事を重ねた。それと比べるとどうだろう、早稲田大学文学学術院の元大学院生の女性が、早稲田大学教授で文芸評論家の渡部直己から繰り返しセクハラを受けたとして、大学に「苦情申立書」を提出した事案について、厳しく指摘する声がどうにも弱い。「おまえの作品をみてやるから」と二人きりの食事に誘われ、「おれの女になれ」などと複数回言われた女性は、この春に退学し、「嫌われると将来がなくなると感じ、ずっと我慢していた。本当に許せない」（共同通信・二〇一八年六月二五日）とコメントを残している。将来を握られた、圧倒的な力関係の中で苦しめられた。

「プレジデントオンライン」（二〇一八年六月二〇日）から取材を受けた渡部は、「『おれの女になれ』と発言したのか」との問いに対して、「そのような言い方ではなかったと思う。過度な愛着の証明をしたと思います」と答えた。圧倒的に優位な立場を行使して近付いていったにもかかわらず、それを「過度な愛着の証明」との純愛気取りで乗り越えようとした。大学側の対応にも問題点が多い。セクハラについて女性から相談を受けた「現代文芸コースの主任だった別の男性教授」は「女性の態度にもすきがあり、男性を勘違いさせている」（同上）などと述べ、同じく「『現代文芸コース』に所属しており、渡部教授と距離が近く、文芸誌『早稲田文学』の制作に携わっている」（同上・二〇一八年六月二八日）教員は「（セクハラ被害を受けた）女性にもよくないところがある」（同上・二〇一八年六月二二日）などと、立て続けに女性に責任を押し付けようとした。ハラスメントを放置し、過度な保身で、女性の訴えを繰り返し踏み潰そうとした組織の結託が明らかになった。

世の多くの人は、文学の世界に、あるいは出版界の内部構造に興味などない。半年に一度芥川賞・直木賞があり、ノーベル文学賞の発表が近付くと、春樹さんはとるのかな、と思い出す程度のものだ。だからこそ、こういったセクハラ事件が発覚し、軒並み、「女性も悪かったんじゃないかな」とかわして済ます文学の世界を晒すのは、文学や出版の世界と距離のある人たちに、あそこってああいうところらしい、と植え付けるインパクトを持ってしまう。それは、アメフトに一切の興味を持たない自分が、どうせそこかしこに日大・内田監督のような存在がいるのだろうと、何の理由もなく確信している現在に近い。これを覆すには、内部から浄化を促すしかない。

にもかかわらず、たとえば『週刊現代』（二〇一八年七月一四日号）は「早稲田大学の変心」と題した特集を組み、その一つの記事である「急増中！　美人なのに『ワセ女』、なんでまた……」でこのように書く。

「最近、『ワセ女（早稲田大学に通う女子大生）』がかわいくなっていると噂だ。6月20日、同大学文学学術院の渡部直己教授（66歳）が教え子にセクハラ行為をしていたことが明らかになった。（中略）失礼ながら、『ワセ女』といえば『ダサい』『気が強い』『かわいくない』というイメージで、いい奴だけど彼女にするにはちょっと……というタイプが多かった（ように思う）。が、今では教授がメロメロになって身を滅ぼしてしまうくらい、かわいい子が増えているという」

週刊誌の主たる読者である中高年男性に向けた文章とはいえ、このハラスメント案件が「教授がメロメロになって身を滅ぼしてしまうくらい、かわいい子が増えている」といった一文にまで活用されている様子を見過ごしていいのだろうか。身を滅ぼされたのは教授ではない。学生だ。

編集者時代、たったの三年間ながら文芸誌の編集者をしていたので、文学の世界の、おおよその空気感は読み取れる。決して広くない世界では、キャリアを積んできた人に対する無条件のリスペクトがある。内田監督のように絶対的な権力を露骨に行使してくる人は少ないが（あくまでも経験上）、偉い人に異議を申し立てるのはやめておこうと決め込む空気が強い。文芸評論家の大学教授が、学生に「おれの女になれ」と凄み、学生を退学に追い込み、それは「過度な愛着」だったと言い逃れ、周囲の後輩たちが「女性も悪い」とボソボソ呟いている状況を、この事案の帰結としていいはずがない。一連の経緯が恐ろしいが、その経緯を踏まえた上で放置しているのが恐ろしいし、情けない。

出版という世界は、どこかに特権意識が残っている。オレたちは違う、と思っている。何がどう違うのかはよく分からないし、分かりたくもないのだが、あっ、違わないですよ、との声をいい加減聞き取らなければならないと思う。福田を糾弾して渡部を放任する姿に呆れたところで目に入ったニュースに、もう一発愕然とさせられる。

七月一二日に開かれた自民党の「全国の書店経営者を支える議員連盟」（会長・河村建夫元官房長官）の会合で、出席した書店経営者から「インターネット書店課税」創設の要望が上がった。自分たちは店舗で固定資産税を払っているので、インターネットで書籍販売をする業者への課税を要求、ポイント還元による値引きの規制を求めたという。あまりにも愚策ではないか。大手書店チェーンの多くはネットでの販売網を持つ。その取り組みがネット書店になかなか追従できないと判断しつつ、ネットで本を売る会社に課税してください、と言い始めたように見えてしまう。

日頃、なるべくネット書店で購入せず、リアル書店（何度聞いても奇妙な呼称だ）で購入するようにしているし、ネット書店への悪口などいくらでも並べられる。しかし、自分たちの窮状をネット書店への課税で解消しようとし、しかもそれを、自らの発言をいくらでも捏造し、都合良く忘れたり思い出したりしている、言葉への鈍感さで知られる政党に嘆願することへの危機意識の低さったらない。

多くの書店員と親しくさせてもらっているが、書店経営者の声と彼らの声が異なることは体感的に分かる。体感的という言い方があやふやならば、信頼する書店のひとつである、青山ブックセンター本店のツイート「本屋の経営が苦しくなる一因は、こういう考え方をする経営者がいること。いち本屋の人間として、恥ずかしい…。（山下）」を紹介すればいいだろうか。

本が売れない。売れない時に、なんでだろうね、みんなバカになっちゃったよねと、外のせいにするだけの人たちがこの業界にはたくさんいる。その言い分を投げれば、その日の飲み会は盛り上がるだろうが、その盛り上がりは死期を早める。未だに、オレたちのせいじゃない、と言うのが好きだ。どうにかしてその言い分を続けようとする。

この議連では、「来年の消費税増税に際し、書籍・雑誌への軽減税率適用を求める声も出た」（共同通信）という。日本書籍出版協会は、本と雑誌に軽減税率の適用を求めてきたが、二〇一五年に作成された広告では、他国では出版物に軽減税率が適用されているとの事例を並べ、出版販売金額が落ち込んだ「原因ははっきりしています。昨年4月に5％から8％に引き上げられた消費税の影響です。（中略）私たちは大いに危惧しています。子どもたちが全国どこでも等しく本に触れられる環境が破壊されることを！」と高らかに宣言されている。本が売れないのは、消費税のせいだというのである。違うと思う。えっと、じゃあ、ネット書店のせいだ。違うと思う。

自民党の議員連盟に軽減税率適用をお願いしにいくとはどういうことか。軽減税率の適用・

不適用は利権が絡みやすい。さじ加減を彼らに委ねることになる。陳情でどうにかしようとする、その心意気に乗れない。出版文化に軽減税率適用を求める有識者会議が出した提言には「食が『身体の糧』であるのと同様に、書籍・雑誌等の出版物は『心の糧』であり、生きていく上で欠かせない必需品です」とある。そう思う。そう思うけれど、それを理由に、軽減税率よろしくお願いします、と頭を下げるのはおかしい。結果的に、書籍・雑誌への軽減税率の適用は見送られたが、これから増税のたびに問われることになる。なんかこう、セクハラも軽減税率も、まだ出版界は特別と思っている節がある。特権意識を更新している場合か、と思う。

偉い人がやったことだから

渡部直己と「以前からかなり親しい間柄」で「彼の女性遍歴についても知らないわけではない」とする文芸批評家・福嶋亮大が、「REALKYOTO」に「文壇の末期的状況を批判する」（本段落の引用は同記事より）との論考を発表し、「文学者ともあろうものがホイホイMeTooなどと言って、他者の人生に『私』を重ねていくのは、たとえそれがどれだけ政治的に正しかろうと、文学者としては間違っている」と断じた上で、「文学とはMeTooと言った瞬間に消えてしまう繊細なものを捉えるための表現手段である」としている。

どれだけ政治的に正しかろうと、ホイホイMeTooなどと言ってはいけない職務を「文学者」と呼ぶのなら、常日頃、舐められることの多い肩書きである「ライター」との表記に留まる自分は、自由な身動きを許される肩書きでよかったと喜びながらホイホイMeTooと言うし、ホイホイと「文学者って偉そうだな」と付け加えてしまう。ハラスメントの事案が生じた時、その肩書きや功績を優先するべきではなく、「傷んでいる人がいます。傷めた人がいます。傷んでいる人のことを考えましょう。傷めた人は何をすべきか考えて下さい。以上です」（長島有里枝との対談での武田発言『すばる』二〇一八年九月号）と私は考える。

文学者のMeTooを一緒くたに「ホイホイ」とする認識が「繊細なものを捉えるための表現手段」と最も遠い気がするのだが、文学のことは文学者にしか分からないというのであれば（そんなはずはないけれど）、ライターは引き下がる（引き下がらないけれど）。でも、文学者がこれを許すとは思えない。それに、みんな、そんなに、ホイホイ、MeTooしてません。そして、同時に、ホイホイであってもいい、とも思う。ホイホイの対義語は「熟慮」あたりかもしれないが、ハラスメントを問うにあたっては、熟慮もホイホイも、共に有効である。ホイホイを軽んじてはいけない。そのホイホイが、潰されたかもしれない繊細なものを捉えるかもしれない。文学はそれでもまだ、自分たちの熟慮に酔いしれるのだろうか。

偉い人の破廉恥に寛容なのは、政界、文学界、スポーツ界に共通する。なぜかさほど報じられなかったのが、日本陸連マラソン強化戦略プロジェクトリーダー・瀬古利彦によるセクハラ。言わずと知れた、かつての陸上界のスター選手であり、陸上界の大御所だ。瀬古は、二〇一八年四月にテレビ局関係者との酒席の場で「女性の身体的特徴を話題に上げてからかう不適切な発言」をしたことに対して、「多くの皆様に多大なご迷惑、不快な思いをさせてしまったことを心よりおわび申し上げます」（朝日新聞・八月一〇日朝刊）と謝罪したが、セクハラかどうかを問われると「そうではなくて不適切発言というか、相手が不快に思った言葉を発した。セクハラがあったという問題では一切ない」と語り、具体的なお咎めなしで放免された。この件を報じたのは『週刊文春』（八月一六・二三日号）だが、瀬古はハーフのアナウンサーの「茶髪の彼女の〝下の毛〟の色を話題にし、からかった」ことについて、「初めて聞いたよ、そんなの。酔っ払っているからさ、多少身体のことを言うかもしれないけど、いちいち覚えていない。そんなことでセクハラって言われたら何も言えないじゃない」と弁解した。

彼が所属する横浜DeNAランニングクラブの広報は、体毛に関する発言があったことは事実であり、瀬古本人に厳重に注意した、としているが、下の毛についての発言を所属先が認めているのに、「相手が不快に思った言葉」と「セクハラ」を分離させて、セクハラではないと瀬古自身が結論づけているのは珍奇である。「めっちゃ偉い人ならハラスメントくらい見逃そうぜ」がクールジャパンの指針となって久しいが、瀬古への追及が弱いのは、二〇二〇年東京五輪に向かって早速強まっている萎縮報道の一環ではないのか。

東京五輪のオフィシャルパートナーである朝日新聞が開会式までちょうど二年となった七月二四日に、実に五面も使って東京五輪の賛辞に励んだ。そのうち、社会面では、各国の代表選手を受け入れる「ホストタウン」を決める動きが盛んになってきており、「『縁結び』の経緯は様々だが、交流でレガシー（遺産）をとの願いは全国共通」と持ち上げる。これでは「オリンピックでサマータイムを導入することを日本のレガシーとして使ってほしい」と謎めいた見解を押し付ける森喜朗と変わらない。しかも、その記事に並ぶのは「炎暑　迫る危険」と熱中症で死亡者が相次いでいるとの記事なのだから、ならば「炎暑　迫る危険　二年後も」と記事をドッキングしてほしいところだが、この記事の配置はもしかしたら、五輪を表立って批判できなくなってきたことに対する、当該部署からのせめてもの抵抗なのだろうか。

この日の五輪礼賛紙面の中軸となったのが「ＴＯＫＹＯがレースの舞台　２０２０年マラソンコース観戦ガイド」で、この酷暑にマラソンをやったら選手が倒れるばかりか観客の命も危ういとも叫ばれるなか、マラソンコースの魅力を案内しているのが案の定、瀬古利彦であった。ビルに囲まれ、空気の抜けが悪く、熱気が籠るであろう銀座付近に「ビルが日差しを遮り、観衆の声援による後押しも期待できる。選手の名前を呼んでいただけると2倍、3倍の力が出ます」と感情論に転化した見解をぶつける。

その紙面の隣では、ワールドワイドパートナーのパナソニックの、五輪に絡めた広告が全面に掲載され、為末大が吹き出しで「心の動きまで観戦できると、スポーツはもっと盛り上がるよ」と、さすがこじつけが激しいことを漏らしているのだが、よく読めば、小さな文字で「心拍数の変化を可視化する［カメラ／非接触バイタルセンシング］」とある。

隅田川花火大会で、五輪に向けたテロ対策の壮大な実験が行われた事を知る人は少ないだろう。これがまさしく「心の動き」を監視する取り組みで、「監視カメラの映像の中から人物を自動検知する技術などによって、人の移動予測を行います。そのことによって、警備の効率を図り、不審者の検知など、テロ対策にも寄与します」（パナソニック システムソリューションズ ジャパン株式会社広報・AERA.dot・八月八日）というもの。カメラを交差点に駐車した警察車両に設置して、行き交う人々の様子を撮影し、その特徴をＡＩに学習させた。実験の主導権を握っているのは警視庁だが、映像の取り扱いや誤認による拘束などの可能性が残される技術について、警備強化どころか、「心の動きまで観戦できると、スポーツはもっと盛り上がるよ」とポップに伝えるナンセンスが見逃されている。さらにもう一面戻れば「ボランティア　私も主役」なる記事もある。こうして力の限りで五輪を持ち上げることを、二年も前から恥じらわない事に驚きを覚える。騙す時って、もっと慎重に騙すと思うのだが、もはや、騙すことすらしない。抵抗されないと分かっているからだ。

一九六四年の東京五輪では、文学者がおべんちゃらの文章をいくつも書いた。「これだけの金、これだけの努力が、もしこの十年国民生活の改善、幸福の方へ向けられていたら、どんな結果が生れていたろうか」（中野好夫・朝日新聞・一九六四年一〇月一六日）と批判精神を保った書き手はさほど多くなかった。二〇二〇年東京五輪についても、文学者が重宝されるのだろう。中野のような苦言を呈す人がどれだけ残るのだろうか。やっぱり、批評性を排したルポやエッセイが量産されるのだろうか。

偉い人の悪事を追及するというのは、組織を健全に保つための最低条件ではないかと思うのだが、政界、文学界、スポーツ界はどうやらそれを手放しているように見える。偉い人がやったことだからしょうがない、という悪しきテーゼが、衒いもなく黙認されている。

街中を走るヤマト運輸の車体には、東京五輪のロゴマークと「東京2020オフィシャル荷物輸送サービスパートナー」の文字が刻まれているのだが、五輪期間中は混雑リスクを考え、ネット通販を控えてほしいとの要請が出ている。もう、なんだかわけがわからない。だが、数週間ならば、どんな混乱が起きようとも成功体験としてまとめあげることができる。そのために、多くの人の生活が蔑ろにされる。瀬古のセクハラを放置するやり口が、こういう蔑ろや諦めの前例に思えてくる。で、文学者が、ホイホイMeTooなどと言っちゃいけないよねと冷静ぶるのも、これと同質だと思うのだ。

「きちんとした文章」で

文字数が限られているし、各種記事を目にしていると思うので、事の経緯は端折る。『新潮45』二〇一八年一〇月号に文藝評論家・小川榮太郎が寄稿した「政治は『生きづらさ』という主観を救えない」を読み、LGBTと「痴漢症候群の男」を同列に並べて比較した箇所を引用した上で「慄然とする」とツイートした。すると、小川がFacebookで「以下の方のツイッター、報道で、私への暴言か、新潮45編集部への恫喝がなされています」と記した上でリストを掲載し、そこに自分の名前もあったので、「文藝評論家の小川氏が、それでも自分を支持してくれる声が集まるFacebookで『反論があれば「きちんとした文章」で反論してください』として名前を列記し、そこに自分も含まれておりますので、お望み通り、『文學界』の次号連載にて、『きちんとした文章』で書きます。以上です」とツイートしておいた。

きちんとした文章で反論しますと書かなかったのは、反論とは「論」に向けて投げるものだと考えているから。小川の文章を五回読んでも、それが「論」として機能しているものとは到底思えないので、「書きます」とした。

論と呼ぶに値しない理由は、こちらの感覚的判断ではなく、あちらの文章に示されている。当該の文章で小川は、「LGBTという概念について私は詳細を知らないし、馬鹿らしくて詳細など知るつもりもないが、性の平等化を盾にとったポストマルクス主義の変種に違いあるまい」と記している。熟知しなければその議題について語ってはいけないという規定などあるはずもないが、「馬鹿らしくて詳細など知るつもりもない」事柄について、「何を今更騒ぎ立てるのか」と罵り、テレビなどで「性的嗜好」をカミングアウトする様子などを見るにつけ「人間ならパンツは穿いておけよ」と感じ、「性的嗜好など見せるものでも聞かせるものでもない」と断じる姿勢を知れば、これは「論」になりえないことがわかる。

小川の文章では、何に対して性的に興奮するかを意味する「性的嗜好」が使われており、いかなる性別を恋愛や性愛の対象とするかを意味する「性的指向」は使われていない。よって小川は性交の話に終始し、「私の性的嗜好も曝け出せば、おぞましく変態性に溢れ、倒錯的かつ異常な興奮に血走り、それどころか犯罪そのものでさえあるかもしれない」（傍点引用者）と、LGBTと自分の性的嗜好を同列に並べ、性交について述べている。小川が「指向」ではなく「嗜好」を用いる意図があればもちろん耳を傾けるべきだが、出演した『AbemaPrime』（AbemaTV・二〇一八年九月一九日放送）で、「しこう」の差異について問われた小川は、「言葉遊びだ」と述べており、この投げやりな認識を知れば、これが「論」ではないことが更に立証されてしまう。

小川は「私は、実は非常に激しい人間で、書くものでも激語を使い始めるともう社会的には壊滅的な表現、誰一人味方になってくれないだろうというところまでいってしまうので、それはほぼすべてお蔵入りにしています」（小川榮太郎×足立康史『宣戦布告』徳間書店）と述べている。今回はお蔵入りにしなかったことで社会的に壊滅的な表現が晒されてしまったわけで、止める人がいなかったからこういった事態を招いたのかと思いきや、小川はFacebookで今回の文章は「一字一句考えぬかれたものです」と記している。

「馬鹿らしくて詳細など知るつもりもない」とした議題について書いた文章が批判を浴びると、自分の文章が理解されていない、一部を引用されて曲解されている、読みもしない人が条件反射で文句を言っている、自分が同性愛を否定しているわけではないのは読めばわかる、LGBTに知り合いもいるなどと、批判に向き合うのではなく、応じるべき批判などないとのスタンスを続けた。自分の見解が伝わっていない、と繰り返す。しかし、これほどまで多くの人に自分の見解が伝わっていないのであれば、まず疑うべきは、読者ではなく、書いた自分ではないか。失言した政治家が、「真意ではない」「マスコミが一部を切り取ったことで誤解された」と言って逃れるのに似ている。

Facebookでは「多くの人や報道機関が新潮45を恫喝している神経は丸山眞男が聴けば『君らのやっている事はナチス並の蛮行だ』と言ったでしょう」と丸山を批判に使っている。丸山はそんなことを言わなかったと思うが、もしかしたら言ったかもしれない。故人の言葉を身勝手に想像し、自分の見解の補強に活用することは、こちらにはできない。こちらができることといえば、「本人がはたしてそういう男であるかどうかということを自分で確めもしないで、そのイメージにもとづいて或る人間についていろいろと論評するということが世間には随分多い」（丸山眞男『日本の思想』岩波新書）と、丸山の言葉を想像ではなく正確に引用し、そちらにお返しすることくらいである。

広告代理店・電通の社員だった高橋まつりさんが二〇一五年に過労自殺した一件は、まつりさんの母親からの訴えもあり、長時間労働を再考する動きへと繋がった。小川は「『電通鬼十則』どこが悪いのか」（『月刊Hanada』二〇一七年三月号）と題した原稿の中で、この母親に対し、「死を利用して日本の労働慣習を脅し上げるなど、見当違いも甚だしい」「ところが残念なことに、その見当違いをよりによって自殺した女性の母親がしている」「なぜこの人は、娘の死を社会問題などという下らないものに換算しようとするのか」と侮辱している。言葉もない。許しがたい。このときもまた、小川は「私はこの事件をよくは知らない」「いまも、実はあまり詳しくは知らずにこれを書いている」と記している。よく知らないのに、言葉を吐き、批判を受ければ、曲解されたと逃げる。曲解とは、誰かの理解に対してぶつける解釈であり、無理解に対する曲解などありえないと思うのだがどうだろう。

ＬＧＢＴにしろ、長時間労働にしろ、よく知らないけど、個人のことは個人でやれ、社会全体の問題にするな、政治課題にするな、もっと優先すべきことがあるんだから、というのが小川の得意スタイル。それは『新潮45』に「政治は個人の『生きづらさ』『直面する困難』という名の『主観』を救えない」と記した通り。そして、先の『月刊Hanada』の原稿で「高橋まつりさんという人は、『社会問題』のなかになど決していない」と記した通り。

人間の痛みを知らない人、知ろうともしない人、どこかで痛む人が生じるかもしれないと想像できない人は、公の場で文章を書くべきではない。この騒動で自分こそ痛んでいる、とおっしゃるかもしれないが（Facebookの弁明では「個々人の正義では立ち向かえないリベラルファシズムの時代の到来」などの吐露がある）、「社会的には壊滅的な表現」に対して、多くの批判が向かうのは当然のことである。個人の指向を、嗜好を、そして誰かの死でさえも、社会問題と安直に結びつけるなと言う。私はそうやって安直に社会と個人を分離させる個人を許したくない。なぜなら、個人が社会を作るからである。

小川が、自分を批判した書き手やメディアの具体名を連ねて「反論があれば『きちんとした文章』で反論してください」と記すのは建設的なことだ。こちらは、こうして言葉を返すことができるからだ。だが、「『弱者』を盾にして人を黙らせるという風潮に対して、政治家も言論人も、皆非常に臆病になっている」（『新潮45』）と、自身のぶっちゃける力をがむしゃらに誇示していく文章は困る。こういった時の「弱者」は、小川に言葉を返すことができない。一方的に浴びて、苦しむことになる。今回の『新潮45』の原稿を読んで、苦しまない人もいるだろうけれど、苦しむ人もいる。その比率や人数は、誰にもわからない。言葉を返すことができない誰かを痛めつける文章を、無配慮に記す行為を許すことはできない。LGBTや長時間労働を社会のせいにせず、個人で引き受けろ、と言っているのならば、なぜそちらは、それに対する自分の考えを、社会全体に敷こうと試みるのか。言葉を慎重に取り扱ってほしい。「きちんとした文章」を書いてほしい。自分の言葉を、自分の外のせいにして、逃げないでほしい。「無責任な嘘をまき散らして逃げる相手を理詰めで攻めても、逃げられたらおしまい。まあ卑劣な奴が平気で生き延びられる社会はどうも私は苦手だな。『恥ずかしい』という観念自体がなくなっている」（小川榮太郎／杉田水脈×小川榮太郎『民主主義の敵』青林堂）

そんな社会、私も苦手だな。

なにをしても逃げられるよ

それにしても、「以下の方のツィッター、報道で、私への暴言か、新潮45編集部への恫喝がなされています」「反論があれば『きちんとした文章』で反論してください」と名指しされたので、「きちんとした文章」でお返ししておいたのに、「文藝評論家」を名乗る小川榮太郎は特に反応をしてくださらなかった。こちらが反応を待ち望んでいるわけでもないのだが、連日Facebookに怒りを撒き散らし、自己陶酔の連鎖によって、あたかもこの事案の被害者であるかのようにふるまい、賛同してくれる意見を掬い上げている様子に首を傾げる。いつもの右派雑誌でいつもの読者に向かって弁解するのだろう。

『新潮』二〇一八年一一月号に掲載された高橋源一郎「『文藝評論家』小川榮太郎氏の全著作を読んでおれは泣いた」について、小川は自身のブログに「高橋氏は私の全著作を4日で読了したという。そう書く事自体が私への精一杯の侮蔑なわけだが、幾らなんでも、これは論評の作法を踏みにじりすぎだろう」（二〇一八年一〇月一〇日）と書き、自分の主張が雑に論評されたことに立腹しているのだが、問題視された、LGBTについて論じる小川の文章を振り返ってみれば、「LGBTという概念について私は詳細を知らないし、馬鹿らしくて詳細など知るつもりもない」（『新潮45』二〇一八年一〇月号）とあるのだから、「四日で読了」よりも「馬鹿らしくて詳細など知るつもりもない」が、「論評の作法」として正しいということなのか。

店に入ってあれこれ食べてみる料理評論家よりも、店に入らずに「この店まずいに決まってる」と評価を下すのが、「論評の作法」なのだそうだ。自分への批判をぶつけてくる人を勢い任せに名指ししたのだろうが、一度名指しされると、ひとまず、こちらはしつこい。こちらからのメッセージがあるとすれば、自分の支持者に向けた言葉ではなく、「論評の作法」を改めた上で『きちんとした文章』で反論してください」である。

最近、こういう話を頻繁に聞くな、という話の展開がある。なにか具体的な話を指すのではなく、よく聞く感じを再現しながらお届けしてみる。

「今の世の中、黒か白か、〇か×かを決めて、一斉に叩きのめすようなことばかりです。誰かがバッシングされたと思ったら、マスコミは早速次のターゲットを探している。正義と悪というのは、そんなに簡単に区分けできるものでしょうか。一方の声だけを聞いて判断するのではなく、もう一方の声を聞く必要があります。みんなが悪いと思ったからといって、袋叩きにしていいのでしょうか」

あちこちでこの手の見解を見かける。おそらく自分も言ってきた。おっしゃる通りだ。おっしゃる通りなのだけれど、これが抜け道に使われていると気づく必要もあるのではないか。

多くの人が手厳しく言っている状況がある。で、自分なりの解釈を加えた上で、みんなが言っているけど、これ、やっぱり間違っているよ、と物申すと、それが「世の中の流れに便乗して正義ぶっている意見」に過ぎないと咀嚼されることが増えてきた。するとどうなるか。批判の内容は問われることなく、批判が大きなうねりになっている様子についてのみ取り上げられ、取り急ぎ「正義の暴走」などと処理されてしまう。悪しき言動を問い質す声が、その声が大きく膨らみすぎている、との理由によって煙たがられる、という現象が起きている。

今回の『新潮45』休刊について、佐々木俊尚がこのようにツイートしている。

「強烈にひどい扇情的な記事が書かれ、その『わかりやすいひどさ』に飛びついた人たちが強烈に反応し、それらの応酬があまりにも激しすぎてついていけない。もともとのマイノリティの問題や表現の自由の問題についてのまっとうな議論が置き去りにされていくように感じてます。＞新潮45問題」（二〇一八年九月二一日）

こうやって鳥瞰しておくのがクレバーだとの判断。悪しき言動に対して意見を表明したそれぞれの声を「『わかりやすいひどさ』に飛びついた人たち」とひとまとめにし、しかしどうでしょう、なんだか、どっちもおかしくないですか、と冷静を気取るのが、インフルエンサーの振る舞いとしてトレンドなのだろうか。

「もともとのマイノリティの問題や表現の自由の問題についてのまっとうな議論が置き去りにされていく」との理解はあまりに弱い。「まっとうな議論」に到達させるのが難しい原稿を問題視したのが、今回の「新潮45問題」。そこから説明が必要なのだろうか。「置き去り」ということは、「飛びついた人」が出てくるまでは今件に「まっとうな議論」が存在していたとも読めるが、LGBTについて「馬鹿らしくて詳細など知るつもりもない」とした原稿を考察するにあたり、どこをどう探しても、あらかじめ存在していた「まっとうな議論」を見つけられない。解像度の粗い鳥瞰はとても困る。

曽野綾子が産経新聞のコラム「透明な歳月の光」（二〇一八年一〇月一〇日）で『新潮45』休刊について、このように記している。

「PC（ポリティカル・コレクトネス＝政治的、社会的に公正、中立的で、なおかつ差別・偏見が含まれていない言葉や用語）に合致しないからといえば、現代では、その要素のある作品を載せた雑誌さえつぶせるようになった」

解像度の粗い鳥瞰に続き、こういう粗い理解も困る。差別原稿に対して、厳しい意見が投げられている様子を見届けて、覚えたての言葉「PC」のスケール感に頼りながら、その意見を「雑誌さえつぶせる」と誤変換してしまう。「もし執筆者が自分の正当性、道徳性だけを外界にひけらかそうという意図のもとに文章を書き始めたら、現世はいたたまれないほど、虚偽的で軽薄なものになるだろう」という謎めいた予測は、「文学はそもそもそんなヤワなものではなかった」との文章から繋がっているのだが、こんな「文学」の活用ってどこまでも奇妙。しかし、新潮社の佐藤隆信社長の声明（九月二一日）にも「差別やマイノリティの問題は文学でも大きなテーマです」とあったことを思い出す。掲載されてしまった「文藝評論家」らの原稿について、「常識を逸脱した偏見と認識不足に満ちた表現が見受けられ」たとした上で、それを「文学」で言い訳する姿があった。

曽野は、文学にも勇気が必要だという。どんな勇気か。「雑誌の中の一本の論文だけを理由に雑誌をつぶすという人々は暴徒だから、出版人はそれに耐えるくらいの勇気は要るのだ」。なぜか「読者だか大衆だか」が雑誌をつぶしたことになっており、そうやって「物理的に出版社をいじめつける」戦略に耐えなければならないとのこと。

ひとつの暴論が出る。それに対する反対意見が噴出する。これじゃまるでリンチのようではないか、いじめだ、と分析する人たちが出てくる。まぁ、どっちもどっちだよね。どんなに乱暴な言動が撒かれようとも、ここに行き着かせることができてしまう。そこで定着させてしまう。「○か×かで判断しちゃいけないよ」が×の隠蔽に使われてしまう。

木下健＋オフェル・フェルドマン『政治家はなぜ質問に答えないか』（ミネルヴァ書房）の中に「どっちつかず理論」という言葉が出てくる。ある申し立てに対し、「婉曲的なコミュニケーション」によって、当初の申し立てに答えないままやりすごす。今回ならば、強めの文句を聞いて、その中身ではなく、勢いに対して怖がってみせる。「その中身どうよ」に対して、「その勢いが怖い」を向ける。早速ずれているのだが、流行り言葉の「ＰＣ」や「多様性」を駆使しながら、異議を申し立てる行為そのものを悪質なものと仕立てることができてしまう。どっちつかずに持ち込むと、差別的な言動が息をしやすくなる。鳥瞰している人たちはいつだっていてくれるから、それも助けになる。

なにを言ったってなにかを言われる社会だから、もうなんにも言えないよ、という雰囲気が、よーし、なんでも言っちゃえ、という人たちに悪用されていまいか。当該の原稿を書いた人が「言論弾圧」だの「恐怖社会」だのといった言葉を用いながら自分を被害者化する。自分の文章に向かう批判を「殆ど私の文章を読めていない。明らかに指摘できる事だらけだ」などと記すことで自分の優位性を誇らしげに綴り、自分を支持してくれる人たちからの信頼を更新する。厳しい声が自分や自分と近い人にぶつかると、大衆の暴走が怖い、との感想に切り替え、そもそもの元凶が放置される。今年は、政治家の皆さんが「なにをしても逃げられるよ」と教えてくれた一年になったが、それが言論空間にまで伝播してきたということなのだろうか。

饕餮から逃げる

それにしても、幻冬舎・見城徹社長はこのまま逃げ切るつもりなのだろうか。別に、逃げ切るなら逃げ切るでも構わないのだが、これまでずっと繰り返し、「饕餮は金を出してでも買え」とあちこちで繰り返してきた方が、饕餮を感知した途端にすさまじいスピードで逃げる姿というのは、言行不一致にも程がある。その不一致を見せることで大量の饕餮を生み出し、あとで金を出して買う予定なのかもしれないが、今のところ、そんな感じはしない。

二〇一九年、自社から刊行された小説作品の初版部数と実売部数を自身のTwitterでバラし、その著者への威嚇に使った件のあらましは、すでに周知のとおりだろうから繰り返さない。出版物というのは、書き手、編集、校閲、印刷、製本、取次、営業、書店などが一緒になって読者に届けていくもの。出版界に限らず、どんな世界でも同じだと思うが、売れたらみんなで喜んで、売れなかったら、それぞれがどうして売れなかったのかなと思いあぐねる。時に、表に出ない場で、いや、あいつのせいだろと愚痴る。それなのに、売れた本はオレのもの、売れなかった本は書き手のせい、と力の限りひけらかす社長のもとでは、なかなかどうして、一緒に仕事をしたいとは思えない（数年前に企画会議を通過している新書企画は、当然、凍結することにした）。

騒動からしばらくして、幻冬舎のホームページに、見城徹、ではなく、「株式会社　幻冬舎代表取締役社長　見城徹」「幻冬舎　社員一同」という連名で「お詫び」と題した文章が掲載されたが、なぜ「社員一同」で詫びる必要があるのかが見えてこない。社長のツイートに社員一同で謝るのはなぜなのだろう。その詫び文の主語が、見城自身になることはない。「弊社代表取締役社長・見城徹が、弊社から発刊した作家・津原泰水氏の単行本2冊の実売部数を5月16日（木）、Twitter上に投稿し公開してしまいました」とあり、詫びる理由について「実売部数という出版社内で留めておくべき内部情報を、今回、見城が独断で公にしてしまったことに対して弁解の余地はありません」と述べ、「津原泰水氏にお詫び申し上げます」とした。

実売部数を独断で公にしてしまったことが問題だったので謝りますと、いかにも業界内ルールに反した行為のみを詫びることで、社長の仲間である堀江貴文による「つか、作家って実売部数公表されたくらいで折れちゃう豆腐メンタルなの？笑」などの曲解したツイートを誘発できる。問題は、部数を公表したこと、だけではなく、作家を威嚇するために部数を公表したこと、にある。そのことをちゃんと説明してください、と迫られたくらいで逃げてしまうのだから、「豆腐メンタル」は一体どちら、という話だ。そもそも、豆腐メンタルってなんだろう。

部数を公表する前、見城は特定の相手を明示せずに、「しかし、嘘付きというのはいるんだね（笑）。Twitterで何を発言しても構わないが、嘘だけは勘弁して欲しい。訴訟するのは気が進まないが、訴訟するしかなくなる」とツイートし、書き手を脅した。出版社社長の立場から、特定の作家に向けられたこの言葉は極めて重い。無論、作家が平然と嘘をつき、その嘘によって大きな損害が生じているならば最終的に訴訟の道もあるのだろうが、作家が嘘をつき出版社に損害を与えた、という事実はない。このツイートについての補足や弁明はないので、このままでは「嘘だけは勘弁して欲しい」という威嚇ツイートが全て嘘だったことになる。

「『言葉』は武器なのだ。豊富な読書体験を経なければ、武器となる言葉は獲得できない。人を動かすには、一にも二にも頭がちぎれるほど考えて、言葉を選択するしかない」（見城徹『読書という荒野』幻冬舎文庫）と述べる。頭がちぎれる、といった大仰な表現は好まないが、本当にそう思う。学校の先生が遠足の終わりに生徒に投げかける「帰るまでが遠足」には、自分の責任で遠足を最後まで楽しいものにしましょうという意味が込められていたが、それと同様に、選択された「言葉」も相手に届くまで見ておく必要がある。あくまでも必要であって義務ではないのだが、「頭がちぎれるほど考え」た上での「訴訟するのは気が進まないが、訴訟するしかなくなる」という言葉は、それがどう届くのかを見つめるべきだろう。でも、見つめようとしない。部数を晒した行為だけをピックアップし、「社員一同」を活用して薄めているが、訴訟をチラつかせた言葉が放置されたままになっているのはいただけない。いただけない、というのは、当人に対して、と同時に、出版の世界の片隅に生息する人間として、そういうレベルで仕事が回っていると思われることへのいただけなさ、もある。

百田尚樹『日本国紀』（幻冬舎）のコピペ問題について、もっとも重視すべきは、Wikipediaなどからのコピペの有無ではなく、すでに本人がコピペを認めていることだ。もう一度引用しておくと、「一番腹立つのは、百田のこの本は、Wikipediaからパクってコピペしとると。これが腹立ってね。僕ね、この本書くのにね、どれだけ資料揃えたかと。山のように資料揃えた。そんなかにはね、Wikipediaもそりゃあるよ、うん。そりゃ、Wikipediaから引用したもんとか、あるいは、借りたもんとかある。でもね、そんなもんはこの本の中の、零点何パーセントなんですよ」(『虎ノ門ニュース』DHCテレビ・二〇一八年一一月二〇日放送)とあった。

コピペが疑われるのではなく、コピペしているのである。「引用した」「借りた」という言葉は、引用先や参考文献を明示せず、増刷時に勝手気ままに修正している本を自己肯定するためには有効だが、対外的に機能させてはならない言葉である。実売部数を無断で公にしてしまったことに対する謝罪だけではなく、その発端となった書籍に向かう声と向き合ってもらいたいものだが、見城はそこからも逃げている。『日本国紀』について、インタビューでこのように述べている。

「ウィキペディアを含めてさまざまな文献を調べたことは当然、あったでしょう。だけど、そこからのコピペで、これだけ多くの読者を引きつけられるものは書けない。この件も百田尚樹だから批判が出るのでしょう。(首相の)安倍さんと近いとか、そんなことが大きな理由じゃないですか」(『Newsweek』二〇一九年六月四日号)

安倍さんと近いのは小さな理由であり、大きな理由はコピペをしていることである。見城は、コピペでは多くの読者を引きつけられるものは書けない、そう考える自分が引きつけられたのだから、これはコピペではないと述べる。引きつけられるとか、引きつけられないとか、いや、マジで、そんなことはどうだっていいのである。

思えば、作家の初版部数を晒しながら、売れてもいない本を出すことになった経緯として、「僕は出版を躊躇いましたが担当者の熱い想いに負けてOKを出しました」とし、同作家の別作品の文庫化を決断した判断についても「担当者の心意気に賭けて」とツイートしていた。自分はそういうつもりはなかったが、担当者の感情を尊重したらこうなった、と逃れているのだから、「社員一同」は、謝罪文に形だけ添えられて謝罪を分割されるのではなく、むしろ「社員一同」の連名を使い、それを強いた側に苦言を呈して欲しい。

「ネットでの憂さ晴らしは、ある種の快楽にちがいない。しかし、それに依存すると、他者と関わるという人間の基本的能力は、確実に損なわれる」「ネットには、人間の豊かさを蝕む致命的なデメリットがある。そのことに僕らは、くれぐれも注意するべきだ」(見城徹/林真理子×見城徹『過剰な二人』講談社文庫)

そう、くれぐれも注意するべきだ。自分の権力を自覚し、自覚した上での、自分にしかできない特権的な憂さ晴らしは、ある種の快楽にちがいない。しかし、それに依存すると、他者と関わるという人間の基本的能力は、確実に損なわれるのだ(一部コピペしました)。

自分の感情があって、自分の頭の中に言葉がある。「感情×言葉」には無数の選択肢があるが、その中でもっとも強い組み合わせを行使し続けることには、相当な覚悟が必要である。続けていれば、顰蹙を買うことだってあるだろう。その時に、それでもまだ、自分の言葉を貫けるか、あるいは潔く謝ることができるのか。一番よろしくないのは、強い言葉を自分の責任回避に使うこと。これって、言葉に失礼だと思う。このまま逃げるのだろうか。いつもの強い言葉が、多くの人を鼓舞してきた言葉が、そうか、逃げるために用意されていたのか、と物悲しくなる。

「私は変へたい」ならば

自民党・杉田水脈議員が「LGBTには生産性がない」などと記した原稿を掲載したことに端を発した『新潮45』の休刊騒動が起きた際には、この連載でも二度ほど集中的に取り上げている。具体的には、二〇一八年一一月号の「『きちんとした文章』で」と、一二月号の「なにをしても逃げられるよ」と題した文章だ。

数ヶ月前、ある出版社から、この二つの文章を再掲載させてほしいと、連絡があった。当該の文章で自分が何を書いていたかといえば、主に『新潮45』二〇一八年一〇月号に掲載された文藝評論家・小川榮太郎「政治は『生きづらさ』という主観を救えない」を読んだ上で、小川がLGBTと「痴漢症候群の男」を同列に並べて比較した箇所や「LGBTという概念について私は詳細を知らないし、馬鹿らしくて詳細など知るつもりもないが、性の平等化を盾にとったポストマルクス主義の変種に違いあるまい」と決めつけた箇所などを引用しながら、これは論争を巻き起こす以前の問題で、そもそも、論になりえないものではないかとした。テレビなどで「性的嗜好」をカミングアウトする様子などを見るにつけ「人間ならパンツは穿いておけよ」と感じ、「性的嗜好など見せるものでも聞かせるものでもない」と断じていた。小川はFacebookで論争を喚起していたが、相手を殴りながら「話し合おうぜ」と叫んでいる状態に見えた。

送られてきた企画書には書籍タイトルとして、『論争「新潮45」休刊事件――LGBT〝差別〟をめぐって』とあり、「戦後ジャーナリズム史を画する事件であったにもかかわらず、本事件は休刊という素早い幕引きで風化しようとしている。極端な右傾化路線に走った『新潮45』と、LGBT擁護で団結する左派陣営の間で、なんら生産的な議論が行われないまま、事件は歴史の闇に葬られようとしている」ので、その時期に各雑誌に掲載された論考を一冊にまとめたい、との企画意図であった。自分の原稿は、おそらく「極端な右傾化路線」ではなく、「LGBT擁護で団結する左派陣営」に位置付けられていたのだろうが、「LGBT擁護で団結する」という把握自体がとっても不思議だ。いまだに「擁護する」vs「擁護しない」で討議すべき題材だとしているのならば、その前提が危うい。

企画書の「本企画の特徴」には、「本書は、右派、左派どちらかの陣営に肩入れするものではない」とある。繰り返しになるが、右派・左派の争いだったとすら思えない。議論する段階に到達していないからこそ問題視された。「著者略歴」の項目には小川榮太郎の名前のみがある。企画に参加することは難しいと判断し、当連載はやがて書籍化する予定があるのでそちらを優先したい、とした上で、次のようなメール文を添えておいた。

「また、この企画について『右派、左派どちらかの陣営に肩入れするものではない』とありましたが、この『新潮45』の件は、右派vs左派という構図で語られる以前の問題だと考えています。『LGBTという概念について私は詳細を知らないし、馬鹿らしくて詳細など知るつもりもない』(小川氏)という前提で書かれたものは、自分と違う『意見』や『派』ですらない、そういった考えを二本の原稿では書いたつもりです」

書籍企画というのは、最終的な形になることなく頓挫することがいくらだってあることは、かつて自分が編集者だった経験も含めて熟知している。だからこそ、書籍化されなかった企画の裏事情を紹介するのは気がひけるのだが、なぜこうやって記したかといえば、この企画が頓挫した経緯を小川が曲解した形で述べていたからである。

『月刊Hanada』二〇二〇年一月号掲載の「『伊藤詩織』に群がる面々」と題した原稿の中で、この企画について、自分と意見の合わない「左派側論客は、出版社からの申し出を軒並み拒絶したというのだ。企画は消えた」と説明、その経緯として「左派側論客らの言い分は、ニュートラルな立場での出版など許せない、自分たちの側の主張に沿った企画でなければ再録は許さないとのことだった」「論争を取りまとめて社会に公開する際に、自分に都合の良い編集方針でない限り出版を許さないなどという『リベラル』があっていいのだろうか。編集方針に味方してもらわないと読者を説得できないということなのか」「何と情けない、いや醜悪な話だろう」などと記した。

これは困る。他の書き手がどのように答えたのかは定かではないが、小川が、断る言い分が一色であったかのように記しているのであれば、自分はそんなことは答えていない、と書いておきたくはなる。彼らって、ニュートラルな立場では勝負できず、自分たちに都合のよいところでしか戦えない……とのイメージ作りに走っているが、こちらは、右派vs左派という構図で語られる以前の問題で、「意見」や「派」ですらない、と自分なりに強い言葉で撥ね返している。

用意された舞台で戦おうとしていたら、覚悟を決めた自分だけがその場にやってきて、ヤワなあちら側からは誰もやってこなかった、と単純化する。それぞれの返答には応じない。「LGBTという概念について私は詳細を知らないし、馬鹿らしくて詳細など知るつもりもない」と書いた人が「著者略歴」に唯一記載されている企画、そしてその書籍のサブタイトルが「LGBT〝差別〟をめぐって」である時、自分の原稿の再掲載を認めないと判断するのは、自分にとっては極めて自然なことである。詳細を知るつもりがない人がなぜ、LGBT〝差別〟をめぐって語れるのか。

こういった、既出の原稿を数多く集めて一冊にする本やムックの編集を何冊も担当してきたが、実に骨が折れる。なぜって、その本の中での各作家の扱い方に注意をしなければならないし、論考やインタビューがその一冊でどのような狙いで用いられるのかをあらかじめ書き手に説明する必要があるからだ。今回のように「論争」と題された企画であればなおのこと、慎重に説明していく必要があるだろう。

書き手にとっては、依頼時点で不安があれば、再掲載を断ればいいだけの話なのだが、このように、誤った後日談を出すことで、自分だけが論争に乗り出したのに、他の多くが尻込みしたという結論を持ち出すのは、「何と情けない、いや醜悪な話だろう」と感じる。こちらからも、もう少々説明しておきたい。

掲載当時、小川がFacebookに「反論があれば『きちんとした文章』で反論してください」として名前を列記し、そこに自分も含まれていたので、この連載で「『きちんとした文章』で」と題した文章を記したのだが、それに対する反応はなかった。そのかわりに、この問題について手厳しく評した書き手に対して書簡を送付し、その一覧と書簡の文面を、自身が理事長を務めている「一般社団法人　日本平和学研究所」のウェブサイトに掲載した。

そこには「党派的な結束、レッテル貼り、文・論壇の歴史的継承のない無教養な言葉の横行を止め、知と礼節と真の毒を存分に含んだ言論空間を取り戻すべく、文・論壇の閉塞的な現状を、私は変へたい」などと書かれていた。なんだか大きなものを背負っているが、「私は変へたい」のであれば、LGBTを議論するにあたって、その概念について「詳細を知らないし、馬鹿らしくて詳細など知るつもりもない」とするところから改めなければならない。

今回の本の企画書に並んでいた文章には、小川が書簡を送付した書き手の文章が数多く含まれていたが、それらの文章について、前出のウェブサイトで「私の新潮45寄稿への論評が各月刊誌で発表されましたが、批判のほぼ全てに生産性がありませんでした。近代批評の伝統を汲み、時事的な問題を本質論に組み替えてゆく拙文を基本的に読めていない為、議論の土俵が形成されていません」と書いていたことを忘れない。

ほぼ全てに生産性がないと感じている原稿、議論の土俵が形成されていないと感じている原稿を再掲載して、「ニュートラルな立場での出版」など可能なのだろうか。土俵が形成されていないのならば、ニュートラルって生まれないのではないか。ご自身が書き残してきた言葉さえ振り返ることをせずに、刊行に至らなかった結果を、断ってきた相手のせいにし、その相手の言い分も身勝手にまとめ上げるというのだから、断るという判断が賢明だったことがわかる。小川の言い分だけを読めば、論争を記録する書籍化に向けて、真摯に向き合っていた書き手だと思えるかもしれない。だが、本が刊行されなかったという帰結は、そんなに簡単なことではないのだ。

おわりに

自分で自分の原稿を読み直すと、また同じこと書いているよと呆れる。呆れた後で、同じことを書かせたのはどいつだよ、と苛立ちの発生源を探す。いや、探さなくても、もう見つけている。いつもの人たちだ。でも、まったく懲りない連中だけど、こうなったらしょうがないね、と諦めたら、懲りない連中はもちろん何度だって繰り返す。繰り返されたら、もう一回同じことを書く。呆れながらも、どこかで建設的な作業だと思っている。

新型コロナウイルス感染が拡大し、なかなか収束が見込めない中、私たちは生活を制限された。何度か、収束傾向になると、偉い人たちは、自分たちの対策がうまくいったと誇らしげに語り、感染者が再度増えると、皆さんの努力が足りない、必要もないのに動かないでほしい、と注意してきた。

うまくいったら俺たちのおかげ、うまくいかなかったらオマエらのせい。そういうイジメ体質に、正直、もう慣れてしまった。個人が相互監視によって疲弊し、あらゆる商売が急場しのぎで摩耗していく。そこに寄り添うのではなく、それでも勝ち残った人がいるんです、これからも頑張っていきましょう、と力を込めている。

限られた想像力を、偉い人ではなく、偉いわけではない人に使いたいと思っている。なかなか思うように身動きがとれなかったこの一年間、特にそう思ってきた。分断という言葉があちこちで使われている。分断され、互いが互いを忌み嫌うような社会になっている、と。事実だとは思う。でも、分断を嘆く前に、分断すればするほど、高みから鳥瞰する人、傍観する人が安堵する、その視線を見つけて睨み返したかった。
「偉い人」の定義は人それぞれで、そもそも、民主主義国家における政治家は、自分たちの代わりに政治の仕事をしてくれている人であって、決して「偉い人」ではない。だが、このところ、俺は偉いんだぞ、と叫びながらこっちに向かってくるのではなく、そう叫びながら逃げていく姿ばかりが目に入る。そんな社会を活写したところ、こんな一冊に仕上がった。最後に、『文學界』編集担当の清水陽介さん、本書の編集担当の臼井良子さんに感謝します。

二〇二一年四月　武田砂鉄

初出一覧

第1章

満員電車ゼロ、その前に。「文學界」2016年10月号
言葉の尻を問う「文學界」2017年4月号
そんなの場合によるだろ「文學界」2017年11月号
書いて消せる！「文學界」2018年6月号
言い訳コレクション「文學界」2019年1月号
「令和」の騒ぎ方「文學界」2019年6月号
タピオカとヨックモック「文學界」2019年9月号
論理的かつ文学的に「文學界」2019年11月号
偉い人を守ると偉くなれるよ「文學界」2020年5月号
どうでもいい「文學界」2020年11月号
マイナンバー信仰「文學界」2020年7月号
まだ布マスクが来ない「文學界」2020年8月号

第2章

監視を待望する私たち「文學界」2016年7月号

素手でトイレを磨く　「文學界」2018年5月号
人間を補正する人間　「文學界」2019年2月号
わかる人はわかってくれる　「文學界」2019年3月号
気持ちをハイジャック　「文學界」2019年12月号
長い人生なのに　「文學界」2020年1月号
まったくいい加減　「文學界」2020年9月号
憂慮されておられる　「文學界」2020年10月号

第3章

血の中で思うとは　「文學界」2016年4月号
どうせやるなら派　「文學界」2017年9月号
「便乗するな」に便乗するな　「文學界」2019年4月号
「復興五輪」の使われ方　「文學界」2019年5月号
それももうダメだよ　「文學界」2019年7月号
主体的に関わって　「文學界」2020年3月号
懲りてない　「文學界」2020年6月号

第4章

読書感想文のマニュアル　「文學界」2016年11月号

プレミアム自家製シチュー　「文學界」２０１７年５月号
保護者の皆様へ　「文學界」２０１７年６月号
税金婚活　「文學界」２０１７年７月号
「冷笑的な人たち」より　「文學界」２０１８年２月号
毒舌の在り処　「文學界」２０１８年３月号

第５章

ヤクザ原稿が掲載拒否された　「文學界」２０１６年３月号
『ＦＡＫＥ』の「裏側」？　「文學界」２０１６年８月号
「からかい」の質　「文學界」２０１７年10月号
ライターは舐められている　「文學界」２０１７年２月号
出版界の特権意識　「文學界」２０１８年９月号
偉い人がやったことだから　「文學界」２０１８年10月号
「きちんとした文章」で　「文學界」２０１８年11月号
なにをしても逃げられるよ　「文學界」２０１８年12月号
顰蹙から逃げる　「文學界」２０１９年８月号
「私は変へたい」ならば　「文學界」２０２０年２月号

＊いずれの原稿も大幅に加筆・改稿しております。

武田砂鉄
（たけださてつ）

1982年生まれ。東京都出身。出版社勤務を経て、2014年からフリーライターに。著書に『紋切型社会──言葉で固まる現代を解きほぐす』（朝日出版社、2015年第25回Bunkamuraドゥマゴ文学賞受賞、2019年に新潮社より文庫化）、『芸能人寛容論──テレビの中のわだかまり』（青弓社）、『コンプレックス文化論』（文藝春秋）、『日本の気配』（晶文社）、『わかりやすさの罪』（朝日新聞出版）などがある。幅広いメディアで多数の連載を持ち執筆するほか、ラジオパーソナリティとしても活躍している。

偉い人ほどすぐ逃げる

2021年5月25日　第1刷発行
2021年6月10日　第2刷発行

著者　武田砂鉄
発行者　鳥山 靖
発行所　株式会社文藝春秋
〒102-8008
東京都千代田区紀尾井町3-23
電話03-3265-1211
印刷・製本　凸版印刷
定価はカバーに表示してあります。
万一、落丁乱丁の場合は送料当社負担でお取り替え致します。
小社製作部宛お送り下さい。

ISBN978-4-16-391375-9